De la biblioteca de

____

____

LAS CARTAS SANADORAS DE MYRTLE FILLMORE

También por Myrtle Fillmore

Cómo dejar que Dios te ayude – 1959

LAS CARTAS SANADORAS DE MYRTLE FILLMORE

MYRTLE FILLMORE

COMPILADAS POR
FRANCES W. FOULKS

Biblioteca clásica de Unity

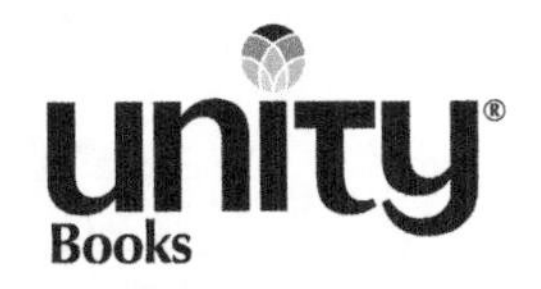

Unity Village, MO 64065-0001

El libro *Las cartas sanadoras de Myrtle Fillmore* pertenece a la Biblioteca Clásica de Unity.

La Biblioteca Clásica de Unity se rige por la creencia del cofundador Charles Fillmore de que "aquello que Dios le revela al hombre en una era, seguirá revelándose a través de toda era." Dicha serie afirma la visión del Sr. Fillmore de que Unity es "un vínculo en el gran movimiento educacional inaugurado por Jesucristo" para ayudar y enseñar a la humanidad a usar y probar la Verdad eterna.

Primera impresión 2009
Segunda impresión 2011

 Para información dirígete a Unity Books Publishers, Unity, 1901 NW Blue Parkway, Unity Village, MO 64065-0001 U.S.A.

Para recibir un catálogo de todas las publicaciones de Unity en español para hacer un pedido llama a Servicio al Cliente a 1-866-498-1500 (sin costo en U.S.A. y Puerto Rico) o al 01-816-251-3574 (llamadas internacionales).

Primera edición en español 2009

Las citas bíblicas han sido tomadas de la Santa Biblia Reina-Valera 1995, a menos que se indique de otro modo.

Diseño de la portada por Karen Rizzo

ISBN: 978-0-87159-342-9
Library of Congress Control Number: 209936933
Canadá BN 13252 90033 RT

ÍNDICE

"Todos nosotros, tarde o temprano, llegamos a un estado de desarrollo donde ya no nos sentimos satisfechos con el modo de vida antiguo, en el cual no conocemos o sentimos nuestra unidad con Dios, la Fuente de nuestro ser. A veces, cuando llegamos a este punto en el desarrollo de nuestra alma, al principio no nos damos cuenta de lo que se está llevando a cabo. Puede que nos sintamos intranquilos o insatisfechos. Tal vez pasemos por experiencias que no comprendamos. Inclusive, puede que seamos tentados a pensar que nuestro bien se ha manifestado gracias a nosotros mismos. Pero tan seguramente como Dios es la única Presencia y el único Poder, encontraremos que … estamos pasando, por decirlo así, de un cuarto a otro, cada vez más grande y claro."

Myrtle Fillmore

EN AGRADECIMIENTO

Este libro está hecho de fragmentos de cartas de Myrtle Page Fillmore, "madre de Unity" como la llamaban cariñosamente, porque realmente fue la madre de Unity en su comienzo. Gracias a su espíritu maternal de amor, fe y servicio, en unión de su esposo Charles Fillmore, ella moldeó a Unity y la sostuvo durante los años de su crecimiento.

Así como las cartas de las cuales se extrajeron estos fragmentos bendijeron y alentaron a aquellos a quienes se les enviaron, se espera que hagan lo mismo para otros al salir a la luz en forma impresa; que bendigan a estudiantes en todas partes y por ende, extiendan el ministerio de Myrtle Fillmore en este plano, así como ella lo está extendiendo en ese otro plano que ella dijo que la estaba llamando otra fase del ministerio de Cristo.

La preparación de estas páginas para tu lectura ha sido un servicio de amor llevado a cabo en agradecimiento a una gran alma. Ha sido como estar de nuevo en su presencia y recibir instrucciones e inspiración de la Mente crística que habló tan libremente a través de Myrtle; como recibir una bendición de ella. Que tú también, al leer estas páginas, recibas de ese Cristo de quien ella siempre señaló que todo le venía, un poco del fuego de su inspiración, de la fortaleza de su fe, del celo que tenía por la Verdad, así como también la sabiduría y la comprensión con las cuales manejaba todos los problemas, el amor que tan libremente daba a todos; y que tú, al elevarte espiritualmente, utilices estos atributos crísticos como ella los utilizó: para inspirar a otros y elevar a la raza en su camino a la gloria.

Frances W. Foulks

Mi amor por Ti

Adaptado de "El rosario"

por Myrtle Fillmore

Las horas que he pasado contigo, querido Señor,
son perlas de valor inapreciable para mí.
Mi alma, mi ser se funden en un dulce acuerdo
en amor por Ti; en amor por Ti.

Cada hora una perla, cada perla una oración,
uniendo Tu presencia más a mí,
Sólo sé que Tú estás allí, y yo
estoy perdida en Ti.

¡Oh gozos gloriosos que emocionan y bendicen!
¡Oh visiones dulces de amor divino!
Mi alma mal puede expresar su dicha extasiada
Que Tú eres mío, ¡Oh Señor! Que Tú eres mío.

Myrtle Fillmore

LOS SIGUIENTES FRAGMENTOS DE SUS CARTAS TE PRESENTAN A MYRTLE PAGE FILLMORE COMO ELLA SE CONOCÍA A SÍ MISMA. NADIE MÁS PODRÍA HACERLO MEJOR.

La verdad, querida, es que sentimos mucha modestia —¡en realidad no tenemos mucho que decir acerca de cuándo comenzó el trabajo y cómo se hizo! Sólo recibimos del Padre algunas ideas que resultaron ser maravillosamente útiles para nuestra familia; luego las compartimos con otros, y éstas también resultaron ser útiles para ellos. Como los que tienen una fe similar se atraen, pronto nos encontramos participando en una pequeña sociedad, la cual se formó para el estudio y la práctica de la Verdad. Crecimos. Después de un tiempo las demás personas siguieron su camino, y quedamos solamente nosotros para continuar lo que sentíamos que era lo suficientemente importante como para ser desarrollado, y nos dedicamos a ello. Unity School se expandió y ha continuado creciendo.

Nunca hemos pretendido que las personas tomen interés en nuestras vidas. A los demás no debería importarles lo que hemos hecho o quienes somos. Lo importante es que estamos haciendo lo que el Padre nos ha dado para que hagamos, y que lo hacemos lo mejor que podemos. Y, si tenemos algo que otros quieren o que los ayuda —ideas espirituales y esplendor— nos alegra poder compartirlo. Si otros desean recibir, está bien; si no lo desean debido a nuestras limitaciones personales, también está bien. No estamos tratando de interesar a la gente en Unity School, sino en las ideas de la Mente Crística, la cual creemos que es el fundamento de nuestra obra, así como el patrón de nuestras vidas.

Pero siento que me estás coronando con un honor que pertenece al Espíritu Santo —que es omnipresente y que se expresa en los deseos afables de los corazones de todos aquellos que expresan el aspecto materno de Dios. ¡Me llamas la madre de Unity! Bueno, no sé de ninguna otra cosa que me daría más gozo que sentir que Dios pudiera trabajar tan perfectamente a través de mí como para desarrollar un gran ministerio y un lugar de paz, buena voluntad y salud tal como lo es Unity School. Mas, en realidad, siento que sólo soy el alma que tuvo la primera visión de este ministerio y que alimentó esa visión hasta que otros vinieron para ayudar a establecerlo en las mentes y en los corazones de los que amamos, y a ayudar a moldear los aspectos externos de Unity School, haciendo su trabajo en la sustancia.

Me da gran gozo el percibir un poco del aspecto materno de Dios —el amor divino que nunca falla y que se expresa atrayendo a las almas a sí mismo. Oro para poder irradiar las cualidades de este amor divino a todos. ¡Tú también eres la madre de Unity, porque en tu corazón tienes los mismos ideales, el mismo espíritu grande y generoso, el servicio interminable y bondadoso y el amor que nunca falla! La madre de Unity es la madre universal. ¡Qué felices nos sentimos de representar a esta madre!

Puede que nunca lo sospecharas, pero el trabajo de Unity es un sueño que se ha alimentado y edificado de lo invisible a lo concreto gracias al amor, la devoción y el trabajo arduo y bueno. Tal vez nunca hubieses imaginado que mi esposo y yo nos hemos dedicado a esta labor que Dios nos ha dado sin más retribución que el "pan de cada día" y nuestra ropa. Trabajo aquí todos los días, y recibo un salario, tal cual como lo reciben cientos de otros trabajadores. Creo que un hombre o mujer de negocios muy capaz no trabajaría por este salario. Mas cubre mis necesidades personales; y generalmente tengo un poco sobrante cada semana con lo cual hago lo que mi corazón desea.

Estamos ayudando a todos los que vienen a nosotros para que se unan en el estudio de la Verdad, lo cual capacita a cada uno a traer a manifestación suficiente provisión para las necesidades diarias y para hacer buen uso de todas las riquezas de Dios aquí en la Tierra, así como también en los cielos de la mente.

Me contenta poder ofrecerte el testimonio de que hemos probado que Dios prospera el trabajo que es inspirado por el Espíritu Santo. A medida que han surgido necesidades según tratamos de expandir nuestro trabajo, las hemos hecho conocer, y la provisión y la ayuda necesarias se han manifestado. Mas siempre hemos tenido que lanzarnos con fe, sin evidencia visible de que el éxito será el resultado final. Sabemos que Dios está obrando, y que es el Espíritu divino operando en un servicio determinado el que provee lo que se requiere para llevar a cabo el trabajo.

Una vez fui una mujer frágil y demacrada, a quien los familiares y médicos habían declarado tuberculosa. Y éste era solamente uno de los males —había otros males para los cuales se consideraba que el único remedio era una operación. También teníamos problemas familiares. Éramos una familia muy enferma. Llegó un punto en el que no podíamos proveer para nuestros hijos. En medio de todo este abatimiento, continuábamos buscando una salida, la cual estábamos seguros que se nos iba a revelar. ¡Y así fue! La luz de Dios nos reveló —el pensamiento vino a mí primero— de que la vida era de Dios, de que éramos inseparablemente uno con la Fuente, y que heredábamos del Padre divino y perfecto. Lo que esta revelación provocó en mí al principio no fue aparente para los sentidos. Pero mantuvo mi mente por sobre la negación y comencé a reclamar mi derecho de nacimiento y a actuar como si me creyera hija de Dios, llena de Su vida. Me revitalicé. Los demás veían que había algo nuevo en mí. Me pidieron que lo compartiera. Así lo hice. Otros sanaron y comenzaron a estudiar. Mi esposo continuó con sus negocios y al principio demostró poco interés en lo que yo hacía. Pero después de un tiempo, el estudio de la Verdad lo absorbió. Nos consagramos al Señor y continuamos haciendo diariamente lo que nos sentíamos guiados a hacer. Comenzamos a prosperar, poco a poco, y nuestra salud continuó mejorando. La vida se tornó más dulce e interesante y comenzamos a ver un mundo nuevo. En todos estos años, nuestros intereses no han decaído, y hemos continuado disfrutando del desarrollo del plan de Dios en nuestras vidas.

Voy a contarte un secreto: no me ocupo de la casa tanto como debería. No tengo tiempo para eso —mi familia exige mucho de mi tiempo. Así que tengo una señora que se ocupa de la casa. Pero sabes, me gusta llevar los platos de la mesa a la cocina al terminar la comida; y hacer bastante espuma con agua caliente y lavarlos, secarlos y guardarlos ordenadamente en fila en el armario de la vajilla. Así que si alguna vez te encuentras haciendo un trabajo que se supone que no es deseable, recuerda que hay otras personas haciendo ese mismo tipo de trabajo y que a otras más les gustaría poder hacerlo, aun cuando las circunstancias las tienen haciendo otra cosa. Todo lo que emprendas, hazlo lo mejor que puedas. La gente notará tu buen trabajo, y pronto te darán posiciones más importantes. Muéstrale al Padre que estás listo para dar lo mejor de ti, y Él continuará aumentando tu habilidad y te colocará donde serás bendecido y donde tu trabajo bendecirá a otros.

A menudo pienso que andamos muy apresuradamente. Tratamos de hacer demasiado y no nos detenemos para pensar si estamos haciendo aquello que es significativo. Mucho de lo que pensamos y hacemos, seguramente no lo haría alguien con la conciencia de Jesucristo. Un sinnúmero de lo que creemos que necesitamos no lo desearía alguien consciente de los recursos espirituales.

¡Verdaderamente, me he sentido en tierra extraña y anhelando paisajes conocidos! Cuando siento tal anhelo, trato de acercarme más a Dios y descansar en la seguridad de que todo está bien. Sé que Dios no me haría bregar con cosas desconocidas o hablar de aquello de lo que no tengo certeza. Tengo presente que Dios me inspirará con aquello que Él quiere que yo haga. Sé que es muy fácil hacer la voluntad de Dios y, cuando llevo mi vida de esa manera, experimento paz y afecto duraderos.

Debemos hacer tiempo para el silencio, para la búsqueda interior, porque debemos tratar de ir más allá de lo que hemos intentado hasta ahora. No hay nada en las conjeturas ni en la observación ni en la evidencia de los sentidos. El discernimiento espiritual es lo que nos puede llevar más allá de donde nos encontramos en este momento.

Ten presente que sé que *soy* hermosa por dentro, y que al tratar afablemente a los demás y compartir con ellos las cosas buenas de la vida llego a ser hermosa también por fuera. Cualquier cosa que me haga sentir egoísmo no puede hacer surgir belleza en mí. Cualquier cosa que despierte en mí el deseo amoroso de que los demás estén felices y sean bendecidos con cosas hermosas, y cualquier cosa que me ayude a expresar este deseo amoroso en mi vida con seguridad dará fruto en vida. Ahora, estoy segura de que comprendes y apruebas que le pase a otra el uso del hermoso regalo que con tanto amor me enviaste. Querías que lo utilizara de la manera que me diera más gozo, ¿cierto?

Fui criada de manera muy religiosa y sufrí mucho por la teología que enseñaba algo diferente que un Dios que en realidad es *amoroso.* Mas, ahora me regocijo en una doctrina que está basada en un Padre celestial sabio y amoroso que no desea que nadie perezca sino que todos tengamos vida eterna.

Una palabra más: ¡creo que me estás dando demasiado crédito por tu serenidad, felicidad y éxito! Por supuesto que me siento feliz de haber tenido el privilegio de escribirte y orar contigo, y me regocijo junto a ti por las demostraciones. Pero sé que es Dios obrando en medio de tu hazaña; sé que Su obra perfecta es responsable del bien que experimentas.

Preguntas qué fue lo que me restauró a una salud vigorosa. Fue un cambio que ocurrió en mi entendimiento, del entendimiento viejo y carnal que cree en la enfermedad a la Mente Crística de vida y salud permanente. "Transformaos por medio de la renovación de vuestro entendimiento" (Ro. 12:2). "Porque tales son sus pensamientos íntimos, tal es él" (Pr. 23:7). Yo apliqué las leyes espirituales de manera efectiva, bendiciendo mi cuerpo-templo hasta que éste manifestó la salud innata del Espíritu. Estas leyes maravillosas funcionan para ti también cuando las aplicas con fe y diligentemente.

Sonreí al leer acerca del estado de tus finanzas. ¡Te voy a contar un poco acerca de las mías! Tengo un salario, como cualquier otra persona que trabaja aquí en Unity. A veces he designado específicamente todo mi sueldo antes de considerar mis necesidades individuales. Hay momentos en los que me veo obligada a hacer un retiro de la cuenta Fillmore para algo que siento que es importante. Generalmente, cuando me encuentro "atrapada", alguien que no conoce los hechos me envía una donación de amor. La semana pasada di prácticamente todo lo que pude y estaba buscando más, porque había necesidad de ello. Esta mañana llegó una carta de una mujer a quien yo le he escrito varias veces pero que no conozco en persona, en la carta venía un cheque de doscientos dólares para *mí*. No había razón aparente para que me lo enviara; evidentemente ella y el Señor estaban conscientes de cómo utilizo el dinero y llenó de nuevo mi cartera de manera tan feliz. El dinero que había dado regresó multiplicado; puedo reponer la cantidad que retiré de la cuenta y todavía me sobró sencillo.

Confieso que no siempre he visto a la gente, a su trabajo y habilidades como lo hago hoy en día. Hubo una época en la que sentí que debía regresar a las maneras viejas para ganar dinero para satisfacer necesidades imperiosas. Pero mi fe y la fe de los que veían más allá de las apariencias me ayudaron a mantenerme firme. Razoné que mis experiencias pasadas no habían sido satisfactorias, que podía, al menos, dirigir mi mente a ideas nuevas e intentarlas a fondo. Decidí utilizar mi habilidad en la manera que parecía satisfacer las necesidades de las personas que venían a mi encuentro. Tenía poca evidencia de que estaba utilizando una ley y de que había sustancia y vida respaldándome y manifestándose cuando lo ordenaba.

Aunque puede ser que este trabajo en el que estamos involucrados es algo que comenzamos en otra vida —e indudablemente es una ciencia que la Mente Crística universal está haciendo evidente por medio de nosotros— sabemos que la misma mente y la misma ley están en todo y funcionan para todos. Sabemos que la fe, la comprensión y la determinación de vivir según el plan del Creador proporcionarán lo que se necesite, y harán esto para todo el que ponga completamente su confianza en el Padre.

De nuestra experiencia encontramos que es aconsejable no hablar demasiado acerca de lo que estamos descubriendo y utilizando —excepto con aquellos que vienen a pedírnoslo. Sabemos que no es bueno ni rentable llamar la atención a las diferencias, ni siquiera en un esfuerzo de aclarar nuestro punto. Si vamos a otras iglesias o clases, debemos esforzarnos en evitar puntos de diferencia o aparente contradicción. Debemos buscar todos los puntos en los que estemos de acuerdo, y alabar la fe y las buenas obras del otro. Debemos hablar de temas que la intuición nos dice que les interesan a los demás. No debemos imponer nuestra fe "Unity" o enfatizar puntos de doctrina. Debemos mantener a Jesucristo, al Espíritu Santo, como la fuente de nuestra luz y la aplicación de Sus enseñanzas como nuestra manera de vida. Debemos dar a Dios la gloria por cualquier y todo el bien en nuestras vidas, y enfatizar la Verdad de que es Dios obrando en y a través de nosotros Quien hace la transformación. Sin embargo, no debemos perturbarnos por el prejuicio de aquellos que piensan que deben rechazar lo que consideran indeseable. Cuando comenzamos nuestro estudio y nuestro trabajo, puede que tuviéramos sólo unos pocos amigos —si se nos hubiera ocurrido mirar a nuestro alrededor y contarlos. Sin duda hubiéramos encontrado objeciones por parte de algunas iglesias si les hubiéramos dado la oportunidad de objetar. Mas, ahora, simplemente no tenemos el tiempo para conocer y disfrutar de la compañía de miles de buenos amigos, cientos de los cuales son ministros que consideran nuestro trabajo seguro y nuestra literatura como material en qué pensar. Encontrarás que si amas a las personas y vives feliz entre ellas, ellas también te amarán. Si no tratas de cambiarlas o darles lo que no sabían que querían, no demostrarán resistencia ni resentimiento. Si no demuestras desaprobación con tu actitud o inferencia de sus creencias o modales, estas personas derribarán los muros de oposición e indiferencia y al tiempo demostrarán interés en lo que ofreces.

Nadie quiere sentir que lo que tiene y de lo que ha estado dependiendo es falso o no confiable. Mas todos desean aumentar los tesoros que tienen en este momento. Y todos, a su debido tiempo, cuando hayan despertado y reconozcan la diferencia, cambiarán a los guijarros sin valor por las gemas preciosas. Más que creer en que debes "dar la cara por la Verdad si se la está ridiculizando", deja que la Verdad en ti dé la cara por sí misma. En realidad, ¿cómo se puede ridiculizar algo? Si uno conoce la Verdad y no presta atención al mal, sino que se mantiene equilibrado y amoroso, ésa es prueba suficiente. El que dice algo incierto o está equivocado en su juicio tiene a la Mente Crística en él para corregirlo. Tú no necesitas corregir a nadie. Déjaselo a Él. ¿Y por qué comparar a Unity con otras enseñanzas? Ésa no es la manera de Unity. A menos que algún alma seria venga a ti por una explicación o para que le aclares un punto, es mejor dejar que los demás formen sus propias conclusiones. Los estados mentales adversos se forman por medio de un tipo de contradicción o falta de comprensión —y por supuesto no pueden sino contradecir aquello que los frustra. Los que no conocen a Jesús, el Hijo de Dios manifiesto en lo individual, quizás contradicen los principios personificados. Pero ¿qué importa? El día vendrá cuando todos los estados mentales adversos darán paso a la luz de la Verdad. Si eres lo suficientemente equilibrado para mantenerte en calma cuando habla la incredulidad, el día vendrá cuando el Padre te encomiende a que hables o hagas lo que revelará al Jesucristo morador. Ora por comprensión para ti mismo. Despierta todos tus poderes y facultades y trabaja en armonía perfecta con el patrón crístico. Estarás lo suficientemente ocupado como para preocuparte de lo que los demás estén haciendo.

¡Me sonrío al pensar que quieres sentarte a mis pies, cuando tú estás en contacto con la fuente de toda sabiduría y comprensión, vida, amor y sustancia! Tu Cristo morador ha comenzado a encontrarte receptivo y ahora crecerás a pasos agigantados. ¡Nunca más estés triste o les cedas el paso a pensamientos de lo que pudo haber sido! Dios es bien eterno, inmutable, y tienes acceso a todo lo que Dios es y tiene. Hay una promesa en la Biblia que te ayudará a saber que lo que puede parecer perdido en realidad no lo está, y que las oportunidades y las bendiciones que parecen extraviadas regresarán tan pronto como estés listo para ellas. "Yo os restituiré los años que comió la oruga" dijo Jehová (Joel 2:25). Todo lo que ha sido destruido, descuidado o perdido por falta de comprensión, por tontería, falso orgullo o ambición puede manifestarse y se manifestará como bien presente, tan rápido como crezcas en conciencia, ¡porque Dios siempre está dándonos justo lo que esperamos!

Jesucristo

Las enseñanzas de Unity están basadas en las enseñanzas de Jesucristo, y le recomendamos a todo el mundo que se mantenga firme a los principios enseñados y demostrados por el primer Metafísico cristiano. Hemos encontrado más Verdad interpretada correctamente en el cristianismo que en cualquiera de las otras religiones que hemos investigado; como consecuencia, somos sus defensores.

Hemos encontrado que Jesucristo es el Gran Maestro, accesible a todos los que tienen fe y que comprenden los principios espirituales que Él divulgó. Jesús como superhombre está aquí en medio de nosotros y podemos recibir instrucciones directas de Él si las pedimos. Si queremos entender todo lo que está contenido en el Cristianismo, el Islamismo u otra religión o culto religioso que haya provenido del Cristianismo, debemos preguntarle a Jesús y Él nos mostrará la Verdad tan rápidamente como nuestra naturaleza espiritual esté desarrollada a tal punto donde Él pueda "importarla" a nosotros. Jesús no puede alcanzar mentes inmersas en el materialismo. Por inmersas en el materialismo no queremos decir solamente aquellas que tratan con los elementos materiales del mundo, sino también aquellas que han materializado el Cristianismo.

Para asegurar el éxito e inspirar fe y confianza en nosotros mismos y en lo que emprendemos, debemos tener a Cristo siempre como la fuente de nuestra inspiración y prosperidad. Nuestro éxito y nuestra satisfacción en los negocios, en el hogar, en nuestra vida social siempre es mayor cuando hacemos a Jesucristo nuestro socio. "Cristo en vosotros, esperanza de gloria" (Col. 1:27). ¿Por qué no seguir los pasos de Quien ha demostrado y probado cada paso?

El amor de Dios por nosotros, por todos sus hijos, es tan grande que nos envió a Jesucristo para que nos mostrara el camino que nos lleva a una comprensión mayor del amor y la voluntad de nuestro Padre celestial por nosotros.

Jesucristo no es solamente un hombre divino que vivió hace muchos siglos y cuya vida y cuyas obras se deben considerar como historia antigua. Él está vivo hoy en día. Está con nosotros ahora. Sus palabras "Y yo estoy con vosotros todos los días, hasta el fin del mundo" (Mt. 28:20), son una promesa viviente para cada uno de nosotros. La presencia crística en nuestras almas es el Gran Médico que tiene sabiduría y poder para sanar y ajustar según el orden divino cualquier función de nuestros cuerpos templos. Al dirigirnos a Él en nuestro interior, recibimos la guía, la seguridad, la curación que nuestras almas anhelan, la prosperidad y el éxito que no sólo deseamos sino que necesitamos expresar como hijos del Altísimo, herederos de todo lo que tiene el Padre. En lugar de pensar en el Señor como el Jesucristo personal que está lejos, en un lugar distante llamado cielo, debemos pensar que el Señor es nuestra Mente crística, y que Jesucristo está siempre con nosotros en la conciencia espiritual que Él ha establecido y que ha unido con la mente de la raza para que podamos estar en contacto con Él, asirnos a Él y construir nuestras vidas según Su patrón.

Hay una diferencia entre Jesucristo, el hombre, y la idea del hombre perfecto que Dios ha creado e implantado en cada uno de nosotros, Sus hijos. La Mente Crística es la mente transparente como el cristal que no está empañada por las cosas "importantes" que nos dicen los sentidos, ni por los informes del intelecto que provienen de la gente día a día. La Mente Crística nos da una idea en su totalidad para que nosotros luego la llevemos a cabo en nuestra conciencia, nuestro cuerpo y nuestros asuntos.

Por ejemplo, la idea crística de amor se nos da como el amor de Dios. El amor nos unifica con Dios, nuestra Fuente, y sabemos que somos buenos, fieles y valientes desde nuestro interior, porque dejamos que estas cualidades de Dios surjan del centro de nuestro ser. El amor en sí no nos ayuda a conservar el equilibrio; puede llevarnos de un lado a otro sin importar lo que logremos. Aquí es cuando empezamos a ver la diferencia entre Jesucristo el hombre como lo conocemos y la gente que no ha dado la talla en lo que llamamos bondad y verdadero poder. Jesús demostró todas las cualidades de Dios que todavía tenemos que aprender a discernir con maestría. El amor de Dios fue expresado por Él; pero complementado y balanceado por la sabiduría, el poder, el juicio, la voluntad, el celo, la vida, la renunciación, la fortaleza, el orden, la imaginación y la fe en Dios. El amor lo atrajo a la gente; pero el buen juicio lo mantuvo en un curso de acción que resultó en un éxito mucho más grande que el que cualquiera de nosotros pudiera discernir.

Jesús es el individuo que logró la unión completa de mente, cuerpo y alma en el Espíritu. Él trajo a expresión el Cristo, la Mente de Dios interior, y se identificó conscientemente con el Padre. Dios no es una persona. "Dios es Espíritu."

Jesucristo ha unido su maravillosa conciencia con la de la raza humana, para que podamos regresar a Él y recibir en nuestras mentes la comprensión de la vida y de las actividades de la mente que resultan en libertad de las limitaciones de las creencias de la raza y de los razonamientos intelectuales. Podemos avivar nuestra propia Mente Crística al morar en la Verdad de que somos uno con Jesucristo y uno con Dios, por medio de la comprensión que Jesús el Cristo nos ayuda a desarrollar.

La oración

Orar no es suficiente. La oración es un paso que das, pero necesitas dar más pasos. Necesitas pensar que Dios, el Sanador todopoderoso, está en ti, en cada parte de tu mente, corazón y cuerpo. Debemos mantener la atención y las oraciones en el plano espiritual de la mente, permitiendo también que se expresen en el alma y en lo físico, no hacerlo es buscarse problemas. Declarar constantemente amor, poder, vida y sustancia para después, incongruentemente, asumir limitaciones y expresarlas en nuestras vidas causa dolencias y obstrucciones que llegan a manifestarse en lo físico. Necesitamos armonizar nuestros pensamientos y oraciones con experiencias reales de la vida.

A veces oramos a un Dios fuera de nosotros. Mas es el Dios en nosotros el que libera y sana.

Con una visión de fe debemos ver a Dios en nuestro cuerpo, ver la salud y la vida por las que estamos orando en cada parte de nuestro cuerpo templo. "¿O ignoráis que vuestro cuerpo es templo del Espíritu Santo ...?... glorificad, pues, a Dios en vuestro cuerpo y en vuestro espíritu, los cuales son de Dios" (1 Cor. 6:19, 20).

¡Las oraciones no se *envían* en absoluto hacia algún lugar! A veces ése es nuestro problema. ¿A dónde, pues, debemos dirigir nuestras oraciones? Debemos dirigirlas a nuestras mentes, corazones y asuntos. Comulgamos con la Mente-Dios en nuestra propia conciencia. La oración es un ejercicio para cambiar nuestros hábitos en el pensar y en el vivir, para así establecer la base para una experiencia nueva y mejor, de acuerdo con la ley divina, en vez de basarnos en sugerencias de fuentes externas.

A veces pensamos que oramos cuando leemos y declaramos afirmaciones de Verdad. Tenemos muy poca idea acerca de la manera como viene la contestación a esas oraciones. Y no damos prueba de que esperamos que sean contestadas. Casi inmediatamente después de orar continuamos haciendo lo que hemos estado haciendo con anterioridad, lo cual no da lugar a las contestaciones que deseamos. Pensamos y decimos aquello que no está de acuerdo con las oraciones que hemos hecho. Por ejemplo, vamos al silencio y hacemos afirmaciones de prosperidad. Luego, al escribir una carta hablamos de escasez, fracaso y anhelo, lo cual prueba que tenemos esos pensamientos y sentimientos de escasez en nuestros corazones y que estamos morando en ellos con más fuerza que en la Verdad por la que hemos orado.

Entonces, realmente oramos para cambiar nuestras mentes y corazones para que el bien omnipresente de Dios los llene completamente y se manifieste en nuestras vidas. Si no pensamos según las oraciones que hemos hecho, no obtendremos buenos resultados. Porque todo pensamiento es formativo; cada pensamiento tiene un efecto en nuestras vidas. Cuando algo de nuestra energía de pensamiento se utiliza en creencias y sentimientos negativos y mostramos que tenemos hábitos mentales viejos en el subconsciente, obtendremos resultados negativos —aun cuando oramos diariamente y cuando otros oran por nosotros.

Tenemos un papel muy definido que jugar; tenemos que dejar de preocuparnos y de estar ansiosos, dejar de pensar y de hablar del pasado y de la aparente escasez y apatía. Debemos concentrar toda nuestra atención en la Verdad de Dios y en la verdad de nuestro propio ser, en las cosas que nos gustaría que sucedieran en nuestras vidas. No podemos hacer esto mientras guardamos pensamientos negativos en nuestros corazones.

Al orar, la palabra de vida nos está infiltrando, rompiendo viejas creencias y reorganizando nuestras vidas. La palabra de vida —la vida como Dios la ha planeado— toma posesión de nuestro viejo subconsciente, entonces reconocemos que somos libres y comenzamos a utilizar esa libertad. Al orar para lograr una conciencia de libertad somos felices y prósperos, ya que nuestra atención estará en lo que estamos haciendo en vez de en resultados externos. Los resultados se encargarán de sí mismos una vez que hayamos cimentado nuestra base en la Verdad.

"Para Dios todo es posible" (Mt. 18:26). Aquellos que reciben ayuda espiritual son los que ponen su fe absoluta en Dios y los que alinean su pensamiento con Su Verdad. "Y conoceréis la verdad y la verdad os hará libres" (Jn. 8:32).

La oración, como Jesucristo la entendió y utilizó, es comunión con Dios; la comunión del hijo con su Padre; las conversaciones espléndidas y confidenciales del hijo con el Padre. Esta comunión es una actitud de mente y corazón. Eleva al individuo a un sentimiento maravilloso de unidad con Dios, que es Espíritu, la fuente de todo bien y de toda cosa perfecta, y la sustancia que satisface todas las necesidades del hijo —bien sean espirituales, sociales, mentales, físicas o financieras. La declaración positiva de la verdad de nuestra unidad con Dios crea una corriente nueva del poder del pensamiento, el cual nos libra de las creencias viejas y de sus depresiones. Y cuando el alma se eleva y se torna positiva, el cuerpo y los asuntos sanan rápidamente.

A veces Le he escrito una carta a Dios cuando quiero estar segura de que a algo se le va a dar consideración, atención y amor divinos. Escribo la carta, la guardo, con la seguridad de que los ojos del Padre amoroso y omnisciente estaban viendo mi carta, conociendo mi corazón y trabajando para encontrar maneras de bendecirme y que me ayuden a crecer. Así que te sugiero que Le escribas una carta a Dios, usando palabras que expresen lo que tu corazón cree y espera. Ten fe en que Dios ve tu carta y conoce lo que guarda tu corazón, y en que existen la sabiduría, el poder, la libertad y el amor necesarios para hacer posible aquello que satisfaga tus necesidades. Después de que Le hayas expresado a Dios los deseos de tu corazón, no estés ansioso, preocupado o demuestres pesimismo. No busques señales de que Dios te ha respondido. Simplemente ocúpate con el trabajo que Dios te guía a hacer. Por medio del estudio y la oración, conviértete en un verdadero compañero y una verdadera fuente de felicidad e inspiración. Al hacer esto, te vuelves un centro radiante hacia el cual son atraídos aquellos que aumentarán tu felicidad y cooperarán contigo para hacer de tu vida un hermoso éxito. El Espíritu quiere que seas un centro radiante y que atraigas a ti lo que necesites para estar bien y ser fuerte, próspero y tener éxito.

Tomando de la fuente

Una persona que necesite despertar su comprensión y tomar de la luz, la vida, el poder y la sustancia de Dios para su salud y sustento no podrá dar la talla si mantiene una actitud de menor esfuerzo y permite que los demás, motivados por el amor o cualquier otra razón, hagan por ella lo que ella debe hacer por sí misma.

Cada uno de nosotros es inseparablemente uno con Dios, la fuente y sustancia de vida, sabiduría y todo bien. Cada uno de nosotros debe tomar de la fuente para su propio sustento, para su propia luz y su propio poder.

Los padres a menudo consideran que los hijos son propiedad suya, y creen que deben pensar por ellos, hacer las cosas por ellos y asumir responsabilidad por ellos. Esto se repite hasta que el niño pierde su iniciativa dada por Dios y forma el hábito de depender de los demás. Este pensamiento crece con él, mas siempre lo resiente por no haber podido desarrollar la habilidad de emprender algo por sí mismo, ni de conocer que posee suficiente latente sabiduría vencer las dificultades.

Aquí es cuando la ley universal de Dios entra en juego. Donde ha habido fracaso para conocer y dar la talla al plan divino de la vida, surgen circunstancias y experiencias que hacen necesario que la persona se aisle un poco y confíe más en sí misma.

Si estas personas aprovecharan al máximo tales oportunidades y trataran de desarrollar los recursos y habilidades latentes dados por Dios que yacen en su interior, se librarían de las viejas ataduras y dependencias. Aprenderían a tomar de la Fuente y a manifestar el bien que Dios ha preparado para ellas. Si una persona no puede ver en qué ha transgredido la ley de la vida y el bien omnipresente, continuará asumiendo responsabilidades que no son suyas y llevando cargas innecesarias que retrasan su progreso espiritual. Por medio de oración y del esfuerzo logrará cierta armonía y salud, mas no conocerá la plenitud del bien hasta que reconozca a Dios como la vida y sustancia omnipresentes, dispuesto a satisfacer las necesidades de todos Sus hijos a la manera del Espíritu y sin carga ni preocupación por ninguna de ellas. La Verdad tiene poco significado hasta que se aplica a los casos y necesidades individuales.

Si una persona quiere sanarse, rejuvenecerse constantemente, estar más vigorosa y alerta y lista para lo que la vida le pida, debe salirse de la rutina, cambiar sus hábitos, apropiarse los elementos de la vida: el alimento, la luz del sol y especialmente de afirmaciones de Verdad.

En lugar de pensar acerca de su condición aparente, proveniente del pensamiento de la raza humana con el cual puede haber estado batallando, o en su edad, la persona debe concentrar su atención en Dios, para que esté tan consciente de la presencia divina y Su patrón perfecto de vida y cualidades que olvide los errores viejos y disuelva las condiciones que ha creado por depender de algo o de alguien fuera de sí misma.

Dios es la vida única y perfecta fluyendo a través de nosotros. Dios es la única sustancia pura de la cual está formado nuestro organismo. Dios es el poder que nos da motricidad; la fortaleza que nos mantiene erguidos y nos permite ejercitar nuestros miembros; la sabiduría que nos da inteligencia en cada célula de nuestro organismo, en cada pensamiento de nuestras mentes. Dios es la única realidad en nosotros; todo lo demás no es sino una sombra que proyecta alguna creencia tonta o una combinación ignorante de pensamientos y elementos del ser. Cuando dejamos que la luz de Dios nos inunde con su brillantez, todas las nubes se desvanecen y comenzamos a vernos haciendo cosas nuevas que nos conducen a la plenitud física, la salud, la satisfacción y el crecimiento espiritual.

El libre fluir de la vida de Dios en nosotros se retrasa en su expresión si nuestros pensamientos y acciones acarrean la creencia en que viviremos un número limitado de años o que la fortaleza, la sustancia o la provisión se encuentran acaparadas. Debemos dar prueba aquí y ahora, para nosotros mismos, de nuestra fe en Dios como bien omnipotente y vida eterna.

Dios en medio de nosotros es un caudal permanente de vida que renueva, limpia y revitaliza, y podemos utilizar esta vida si estamos receptivos a los canales de su fluir y tomamos de esta fuente.

Dios ha puesto en cada uno de nosotros el germen de la inmortalidad que producirá según su especie. "Todo buen árbol da buenos frutos" (Mt. 7:17).

Así que en nosotros está la omnipotencia con la que debemos colaborar. Al cooperar con el Espíritu de Dios para que lleve a cabo Su plan, todo lo que llevamos dentro estalla en la belleza de la integridad física.

En el momento en que una persona cede su ser a la Divinidad, permite que el espíritu de Dios rompa la cáscara de la duda y el miedo, y que la luz de la fe le revele la luz de la vida. La persona se torna consciente del gozo de la vida en sí misma y en los demás.

Ceder el ser significa renunciar a los conceptos viejos del pasado; olvidarnos de nosotros mismos y de nuestro deseo humano y, simplemente, regocijarnos porque en toda la creación de Dios brotan nueva vida, luz, gozo y servicio cons-tantemente. Cuando olvidamos nuestros propios deseos y nos dedicamos a hacer lo que Dios hubiera hecho, en este momento y constantemente, encontramos que no hay límite para nuestra fortaleza ni para las cosas que podemos hacer. Nos hemos cedido nosotros mismos a la Fuente y hemos entrado en una unidad que nos hace receptivos a todo lo que la Fuente es y guarda para nosotros.

Las bendiciones de Dios son para todos los hijos del Padre, y cada persona tiene que vivir su propia vida y servirse de la energía, sustancia, salud y fortaleza que esperan ser manifestadas. Nadie puede comer la comida de otro por él, o respirar por él; ninguna persona tampoco puede expresar la vida y salud por otro. Cada uno de nosotros debe tomar de la fuente de estas cosas por sí mismo. Benditos somos cuando nos damos cuenta de que ésta es la manera de recibir, y así lo hacemos.

Yendo al silencio

Los estudiantes no deben esforzarse tanto en "ir al silencio". Cuando tu crecimiento te trae al lugar donde tu conciencia está tan completamente unida con las ideas crísticas en la Mente-Dios que pierdes completamente el sentido de las cosas a tu alrededor, es tiempo de tratar de ir al silencio. Pero no debemos tratar de apurar esta experiencia. Todo lo que sea un esfuerzo y perturbe el funcionamiento natural del cuerpo no va a traer a tu mente a unidad consciente con la fuente de tu luz y de todo bien.

Debido a que la persona trata de forzar este proceso de ir al silencio antes de estar listo para él, tiene una experiencia desagradable, acerca de la cual algunos preguntan, ¿por qué el corazón palpita tan rápida y fuertemente? Esto sucede al tratar de lograr que el cuerpo esté inactivo en el esfuerzo de ir al silencio. En lugar de crear mayor actividad, apropiarse de más vida y utilizarla, el cuerpo se pone tenso. Como resultado, el corazón tiene que latir más fuerte para llevar a cabo su trabajo. Cuando la sabiduría, el amor, la vida y el poder incitan tus pensamientos, vives, te mueves y tienes tu ser en la mismísima presencia de Dios, y sabes que todo está bien. Entonces puedes concentrarte en cualquier cosa que requiera tu atención, y estarás callado, centrado y cómodo. Con un cuerpo relajado lograrás más actividad de vida y saldrás renovado.

Cuando comiences a ir al silencio, debes respirar con calma, sintiendo gozosamente que estás inspirando grandes cantidades del aire puro de Dios que sostiene la vida, el cual está siendo utilizado por cada célula y corpúsculo sanguíneo.

Retira tu atención de la cabeza y ponla en el organismo. La circulación sanguínea seguirá tu atención hacia el tronco del cuerpo y a tus manos y pies, y como consecuencia, las fuerzas del ser así como también el fluido del torrente sanguíneo se estabilizan. Debes ser tan justo con los miembros de tu cuerpo como lo serías con tu vecino. No puedes esperar que tu vecino te preste atención todo el día. Ni tampoco puedes esperar que tu vecino esté sin algo que necesite, ni le darías más trabajo del que tiene que hacer. Así que debes tratar a tus miembros (que son vecinos cercanos en tu cuerpo-templo) con tanta consideración, sabiduría y amor, dándoles el beneficio de este tiempo de silencio con el Creador divino.

Un período de silencio y descanso es tu oportunidad para establecerte en el centro de tu ser, el lugar donde la provisión de vida y sustancia es inacabable. Dios es esta vida eterna que convertimos en el vivir. Cada día debes tener un período de quietud en el que el alma pueda reunir poder sostenedor y vida restauradora. Dios da libremente; es decisión nuestra mantener los canales para recibir abiertos, mantenernos a tono con las realidades para que nuestro intelecto no nos coloque entre las ideas limitadas del mundo. El hombre manifiesto debe tener el sustento que sólo puede venir de lo interno. No debemos tensar las cuerdas de este instrumento del Espíritu al punto en que la música del alma no pueda expresarse, sin embargo, cuando vivimos sin acudir al sitio secreto del silencio, estamos expuestos a eso.

Uno puede quedarse demasiado tiempo en el silencio. El silencio es sólo un umbral hacia lo que está más allá de él; es decir, actividad basada en la luz y la fortaleza obtenida al reclamarla, lograda al contactarla a medida que la mente se escabulle del clamor de pensamientos que se disipan. Al igual que uno puede comer demasiado alimento nutritivo, uno puede obtener mucho de este bien, y luego echarse a dormir, lo que hace que ese alimento no se convierta en energía viviente y en los resultados de esa energía. Así que, cuídate de no quedarte demasiado tiempo solo, demasiado en el silencio, demasiado en contemplación y adoración, sin poner en práctica lo que se ha aprendido en esos momentos de caminar y hablar con Dios. El indio se va solo al bosque para obtener una sensación de su fuerza superior y balance. Regresa a su entorno y a sus actividades regulares y corre, salta, cabalga, canta, siembra, cosecha y cuenta los relatos que inspiran a su raza y cuida a los necesitados en un espíritu de amor. Él toma bastante tiempo para jugar ¡y no trabaja en nada mientras juega!

En lugar de pasar demasiado tiempo en el silencio, utiliza de manera práctica lo que ya has obtenido del estudio y del silencio. Es posible malgastar fortaleza, energía y sustancia al morar en ese estado mental pasivo llamado a veces el silencio, o en el esfuerzo personal de hacer que ciertos pensamientos se produzcan y logren resultados que no están basados en el orden divino ni en el plan de vida. Así que cuando regreses al lugar secreto para ir al silencio, asegúrate de escaparte de ti mismo, de tus ideas y deseos viejos, y pon tu mente en armonía perfecta con las ideas crísticas. Trabaja para hacer que esas ideas influencien tus centros de pensamiento y luego se manifiesten para practicar lo que has percibido con la visión espiritual y has declarado para ti mismo.

Mientras más pienses acerca del Cristo morador, más se fortalecerá tu conciencia de la divina presencia y tu unidad con Él; hasta que puedas aquietar todos los pensamientos externos y meditar acerca de "Cristo en vosotros, esperanza de gloria". Muchos se han ayudado poderosa y gloriosamente al encontrar el silencio repitiendo "Jesucristo" una y otra vez, con intervalos cortos entre uno y otro.

Cuando vayas al silencio, es conveniente que retires tu atención de la cabeza y la pongas en el organismo. La circulación sanguínea seguirá tu atención y como consecuencia, las fuerzas del ser así como también el fluido del torrente sanguíneo se estabilizan.

Le debes atención a Dios. Le debes la medida completa de tu fe, de tu pensamiento, de tu servicio. Dios mora en tu mente como la sabiduría que te revelará el camino si aquietas tus pensamientos de búsqueda externa incesante de maneras y medios. Dios no sólo te proporciona sabiduría, Dios es la sabiduría que te dirige por caminos de paz y abundancia. No puedes escuchar a Dios mientras tu oído está en tus asuntos. No ganas nada con girar incesantemente alrededor de un pensamiento negativo. Puedes ganarlo todo al dejar ir serenamente estas apariencias externas y asirte a Dios.

Tú amas a Jesucristo y Él está contigo ahora, te guía, te enseña y te trae conscientemente a la unidad con el Padre. Su oración era: "Para que sean uno, así como nosotros" (Jn. 17:11). Su misión es llevarnos a la unidad con el Padre, y Su promesa es: "Yo estoy con vosotros todos los días" (Mt. 28:20). Él nos enseñó a orar de la siguiente manera: "Pero tú, cuando ores, entra en tu cuarto, cierra la puerta y ora a tu Padre que está en secreto" (Mt. 6:6). Tu cuarto es el lugar callado en el corazón. Se nos enseña a centrar nuestros pensamientos en lo interno, y luego cerrar la puerta; esto es, cerrar nuestras mentes a todos los demás pensamientos y pensar en Dios, Su bondad y amor; orar a Dios en secreto, al abrigo del Altísimo, y todas las cosas necesarias se te darán.

"Háblale a Él, porque Él escucha,
y se encuentran Espíritu con Espíritu—
Más cerca está Él que el aliento,
y más cerca que las manos y los pies".
— Alfred, Lord Tennyson

Eso es lo que dice el poeta para ayudarnos a recordar lo cerca y amoroso que es Dios. Háblale a Dios en el silencio de tu corazón, del mismo modo como hablarías conmigo; dile al Padre cuánto deseas conocerlo, sentir Su amorosa presencia y hacer Su voluntad. Luego aquiétate y siente el amor de Dios que te envuelve.

Aquiétate. Aquiétate. Aquiétate. Dios está en ti como sustancia. Dios está en ti como amor. Dios está en ti como sabiduría. No dejes que tus pensamientos se centren en carencia, sino que deja que la sabiduría los llene con la sustancia y fe de Dios. No dejes que tu corazón sea un centro de rencor, temor y duda. Aquiétate y sabe que éste es el momento del altar de Dios, de amor, amor tan seguro e infalible, amor tan irresistible y magnético que atrae hacia ti provisión del gran almacén del universo. Confía en Dios, utiliza Su sabiduría, comprueba y expresa Su amor.

Al salir del silencio, cuenta tus bendiciones y da gracias por ellas. Ten presente que en ti y en tu mundo sólo existe el bien, para que así el poder que recibiste en el silencio tenga oportunidad de multiplicarse e incrementar tus bendiciones. Da gracias de que ya has recibido el bien para el cual buscaste a Dios en el silencio, sintiendo la seguridad de que: "Antes que clamen, yo responderé; mientras aún estén hablando, yo habré oído" (Isaías 65:24).

En la "cima" recibimos nueva iluminación, inspiración y discernimiento sobre la ley de provisión. Entonces tenemos un trabajo que hacer lejos de la cima, elevando nuestros pensamientos al patrón de la Verdad. Debemos llevar la luz, el gozo, la paz y la fortaleza que recibimos en las alturas espirituales de la conciencia a la vida diaria con el propósito de redimir nuestra parte humana.

Jesús tuvo sus momentos en la cima, pero después descendió al ministerio de los necesitados. Esto simboliza nuestro hábito de prestar atención a pensamientos de escasez, debilidad, negatividad, y redimirlos al traerlos al

Espíritu después que hemos entrado al "abrigo del Altísimo" y comulgado con el Padre.

Lo que debemos tener en mente es llevar con nosotros y aferrarnos a todo lo que obtenemos en la cima de la oración, y no dejarlo ir mientras vamos al encuentro de pensamientos y estados mentales en el plano material que necesitan espiritualizarse. En otras palabras, mantengamos nuestro equilibrio y control espiritual cuando tengamos pensamientos adversos; de otro modo, no podremos redimir al adversario.

Cuando buscamos a Dios, nuestras necesidades temporales, así como las espirituales se satisfacen. La ley de provisión siempre funciona para nosotros cuando trabajamos con ella.

"Con sabiduría se edifica la casa,
con prudencia se afirma
y con ciencia se llenan las cámaras
de todo bien preciado y agradable" (Proverbios 24:3-4).

A través del desarrollo de nuestras mentes es que encontramos el camino al éxito. Dios es mente. "Nosotros tenemos la mente de Cristo", y depende de nosotros establecer una unión consciente en el silencio con la Mente todo proveedora, elevando nuestros pensamientos a su patrón de Verdad y manteniéndolos en esta Verdad al llevar a cabo los deberes de la vida.

Avivado por el Espíritu

Tú recuerdas la inspiración espiritual que tenía Pablo, una inspiración que también es nuestra al reclamar la luz, el poder y el amor que son la expresión de Dios a través de nosotros:

"Y si el Espíritu de aquel que levantó de los muertos a Jesús está en vosotros, el que levantó de los muertos a Cristo Jesús vivificará también vuestros cuerpos mortales por su Espíritu que está en vosotros" (Rom. 8:11).

No es la gente de Unity la que aviva y sana. No es el deseo humano del corazón individual que hace que la vida fluya a través de su organismo más libremente. No es lo que generalmente pensamos del cristianismo lo que nos lleva a las corrientes de vida Crística que avivan y sanan. Es el despertar del mismo espíritu de Cristo en nosotros, el mismo que estaba y está en Jesucristo —el espíritu de Dios, manifestándose en conciencia y expresión individual. Es la voluntad y el esfuerzo del alma vivir en su pensamiento y acciones diarias en el espíritu de Cristo —ese mismo Espíritu que hizo que Jesús se olvidara de Sí mismo para hacer la voluntad buena y perfecta de Su Padre. No es el ir a la iglesia, orar y observar las leyes morales, sino usar palabras llenas de vida, amorosas y poderosas, y actuar de modo que sea de utilidad para los demás. La consagración de Jesús era algo viviente y constante. Él adoró al Padre y Lo glorificó constantemente haciendo las cosas inspiradas por Su Espíritu para bendecir las vidas de Sus hijos. Jesús descubrió cabalmente el verdadero propósito de la vida y lo llevó a cabo no sólo para Su beneficio sino para el beneficio de todos nosotros. Jesús dijo: "Sígueme" (Lc. 9:59). "Si me amáis, guardad mis mandamientos" (Jn. 14:15). "El que en mí cree, las obras que yo hago, él también las hará" (Jn. 14:12). "Pastorea mis ovejas" (Jn. 21:16). "Sanad enfermos, limpiad leprosos, resucitad muertos, echad fuera demonios" (Mt. 10:8).

Para estar realmente sanado y avivado por la vida abundante, debemos olvidarnos del pasado y de sus limitaciones, y ofrecer cada pensamiento, cada gota de energía, al Espíritu, para que sean utilizados para manifestar el reino de Dios de luz, amor, orden, belleza y salud en la Tierra, en las vidas de toda la gente. Este dar no ha de ser hecho según la conciencia y el poder humanos, sino según la comprensión de que Dios obra por medio de nuestra alma y cuerpo para aumentar nuestra vida, fortaleza y sustancia de manera que realicemos Su plan perfecto. De nuestro cuerpo debe pensarse como el templo del Dios viviente. De nuestros brazos y manos como la expresión de las ideas de poder, servicio amoroso y trabajo espléndido de la Mente-Dios. El poder ejecutivo de la mente, en su relación con las cosas que pensamos que corresponden al mundo tridimensional, se expresa por medio de los brazos y las manos. Cualquier cosa que seamos guiados a hacer debemos pensar en que es la obra de Dios. Debemos saber y regocijarnos por nuestra habilidad innata de llevar a cabo ese trabajo. Debemos darnos cuenta de que somos libres para decidir con sabiduría y para hacer lo que nos beneficie a nosotros mismos y a los demás. También debemos ver a los demás en este mundo espiritual hermoso de actividad y bendecir-los.

Dios está en nosotros como la vida y sustancia mismas, y nuestro uso de los dones de Dios aumenta la habilidad que tenemos para utilizarlas y dirigirlas. Dios es vida; nosotros convertimos esa vida en modo de vivir. Dios es amor; nosotros convertimos el amor divino en acción al amar a los demás. Dios es sustancia; nosotros tomamos la realidad sustancial y la traemos al mundo de la mani-festación. Dios es sabiduría; reclamamos unidad con la sabiduría divina y ésta se expresa por medio de nosotros como pensamientos, decisiones y acciones sabios: la luz de la vida que brilla del corazón al rostro, y en cada célula del cuerpo.

Comprendiendo al cuerpo

Jesús dice: "Sed, pues, vosotros perfectos, como vuestro Padre que está en los cielos es perfecto" (Mt. 5:48). Paul dice: "¿O ignoráis que vuestro cuerpo es templo del Espíritu Santo, el cual está en vosotros, el cual habéis recibido de Dios ... glorificad, pues, a Dios en vuestro cuerpo" (1 Cor. 6:19,20). Unity dice "Dios en medio de ti es poderoso para avivar, limpiar, sanar, restaurar a la perfección, para prosperar. Busca dentro de ti, en la Mente Crística, la luz que inundará tu alma y te permitirá verte a ti mismo y ver tus asuntos en la relación correcta con Dios y con tus congéneres".

La vista es la capacidad de discernir de la mente. Al tomar tiempo para la meditación silenciosa y reclamar con confianza la unidad con la Mente-Dios, mantenemos las vías de nuestras mentes abiertas al plan divino. Hay una ley divina de la acción mental a la cual nos podemos afianzar, y que siempre produce resultados satisfactorios. La operación de esta ley divina también tiene un lado físico. El cuerpo y sus necesidades deben ser considerados. No debemos manipular el cuerpo ni desatender sus necesidades normales.

Este cuerpo es el resultado de nuestras facultades y nuestros poderes dados por Dios. Necesitamos tal templo y el alma lo ha construido. A veces no recordamos que el templo es para el uso del Espíritu Santo. Hay momentos en que surge la creencia en la escasez o en la oscuridad, o cuando el tiempo nos obliga a hacer cosas que no son buenas para el cuerpo-templo. Entonces, debemos buscar, por medio de la oración, la comprensión de la necesidad del alma y lograr la armonía con la Mente-Dios.

A veces estamos tan empeñados en alguna forma exterior de éxito que mantenemos nuestros ojos fijos en el bien parcial. A veces lo que emprendemos no progresa como lo habíamos soñado y estamos tentados a ver muros de limitación o la oscuridad de la oposición. A veces en el esfuerzo de lograr una meta somos injustos con el cuerpo, hasta que éste se rebela.

Cualquiera que sea la apariencia negativa, dirigir la atención hacia Dios, con la voluntad de observar todas las fases del diario vivir y de hacer los ajustes necesarios sabios y amorosos para con el cuerpo, alivia rápidamente la tensión y congestión y permite que el libre fluir de la vida renueve los nervios y las estructuras óseas y musculares. El cuerpo responde a los cambios mentales y, cuando éstos son acompañados por hábitos de vida verdaderamente sabios, la conformidad a ideas verdaderas de vida, poder, amor, sustancia e inteligencia lo renueva y hace íntegro cada átomo de dicho cuerpo.

Debemos ver la vida de Dios en nuestra carne. Cualquier forma de negación de la vida e inteligencia de Dios o del organismo físico, cualquier pensamiento de la carne que no sea de la sustancia pura de Dios, congestiona e irrita al cuerpo. Ésta es una mentalidad doble, que consiste en creer en el bien y en el mal, en percibir y pensar en el mal, condiciones indeseables, escasez, fracaso o calamidad de cualquier tipo. La mentalidad doble debilita los ojos, disminuye la visión y no percibimos claramente nuestra perfección en la Mente-Dios.

Mirar a nuestro alrededor y ver el mal y la imperfección es pecaminoso. Aquello que estampamos mentalmente se registra en nuestra propia carne.

Los ojos son la evidencia externa de la habilidad de la mente de discernir y comprender. Una mente fuerte, clara, perceptiva y discerniente alineada con la Verdad se traduce en ojos fuertes y claridad de vista; porque el que percibe la Verdad vive según la ley de la Verdad.

"Dios soy ... el Santo en medio de ti" (Os. 11:9).

Dios en medio de nosotros es todo poderoso y cuando miramos hacia Dios con fe, Dios une, armoniza y fortalece todo lo que necesite ser ajustado y restaurado. Dios, el Santo en medio de nosotros, es el poder que crea y es irresistible para renovar y hacer que se manifieste la integridad. Cuando estamos llenos de fe y cooperamos con este principio restablecedor de nuestro ser, entonces el trabajo de Dios de restauración no cesa su actividad en nosotros. Dios siempre renueva la armonía, fortaleza, vida e integridad en lo que Él ha creado. El mantener pensamientos como estos y comulgar con la Presencia moradora en el silencio le da al Cristo morador la mejor oportunidad posible de hacer Su trabajo sanador con rapidez. En un momento de renovación no debemos extenuar al cuerpo y sus energías, porque necesitamos utilizar la vida vigorosa del Espíritu para edificar nuestro cuerpo templo. Derramemos sobre nuestro organismo bendiciones de alabanza por el buen trabajo que está haciendo para establecer integridad física. Pensemos de nosotros mismos como que ya estamos manifestando perfección en mente, alma y cuerpo, y demos gracias porque el orden divino está establecido *ahora*.

"—Yo soy el Dios Todopoderoso. Anda delante de mí y sé perfecto" (Gen. 17:1).

El Padre morador está diciendo: "Sé perfecto"; y Su palabra ha llevado a cabo su misión de restaurar el cuerpo con Su propia esencia vital.

Experiencia del día y de noche

"Sino que en la ley de Jehová está su
delicia
y en su Ley medita de día y de noche" —Sal. 1:2

"Día y noche" no necesariamente significa veinticuatro horas. Se refiere al día del alma —cuando tiene luz y todo parece ir sin tropiezos y puede ver evidencia de que la ley divina está trabajando; y también se refiere a la noche del alma— cuando ha ido hasta donde la luz de su conciencia la ha llevado en una dirección dada, y entonces ella debe dirigirse a su interior para recibir más luz.

Puede que no veas cómo está trabajando la ley del Señor para ti, pero está trabajando de manera tan segura como la ley del crecimiento trabaja de noche. La noche es necesaria para el crecimiento y desarrollo apropiados de las plantas, al igual que el día y la luz del sol con su calor son necesarios.

No diríamos que "no pasa nada" con las plantas durante la noche o que no están recibiendo su bien. Por el contrario, muchas veces hemos visto una transformación durante la noche. ¡Una planta que se veía casi muerta por falta de humedad y la habilidad de extraer su alimento de la tierra amanece fuerte y llena de vida! Si no hubiera sido por la noche con su bendición, esa planta hubiera dejado de crecer y de darnos su ayuda.

Cuando nos llega "la noche", debemos utilizarla como un momento de quietud y de gran ayuda. Si lo hacemos, nos dará tiempo para la meditación y el estudio cuidadoso de nosotros mismos y de nuestros métodos y plan de servicio presentes. Nos hará dirigirnos más a la ley universal y a su operación y menos a nuestros esfuerzos personales o a los de los demás.

En esta noche debemos descansar con el conocimiento y la seguridad espiritual de que nuestro crecimiento es precioso ante los ojos del Señor. Nos debemos regocijar de que la ley divina siempre está operando, siempre trabajando para prosperar a todos los hijos de Dios. Debemos dar gracias porque nuestros asuntos están en manos del Padre y bajo el manejo de la sabiduría divina.

Llegaremos a contentarnos por esta "noche" en la cual nos hemos dirigido a nuestro interior hacia la gran corriente de luz, vida, amor, sustancia y poder, y hemos dejado que fluyan silenciosamente en nuestra conciencia, para elevarla a la comprensión crística. Al hacer esto, sabremos que somos:

> "Como árbol plantado junto a
> corrientes de aguas,
> que da su fruto en su tiempo
> y su hoja no cae,
> y todo lo que hace prosperará." (Sal. 1:3)

No hay enfermedad incurable

No existe tal cosa como una "enfermedad" o condición incurable. Estas actividades, debilidades o anormalidades a las cuales la profesión médica les da nombres no son sino esfuerzos de la inteligencia interior dada por Dios para enfrentar condiciones que el individuo ha producido por su fracaso de comprender la Verdad y reconocerse a sí mismo como el perfecto hijo de Dios y vivir según la ley divina de la vida. Cualquier cosa que no dé la talla con el patrón Crístico de perfección puede cambiarse. Cualquier cosa que las ideas de la Mente-Dios, expresándose en la mente del hombre, no hayan producido puede disolverse en la nada original mediante la aplicación del poder del pensamiento espiritual y la acción comprensiva espiritual resultante.

Los médicos, por supuesto, juzgan por apariencias, basando sus opiniones en el estudio de efectos y formulando sus conclusiones del resultado de los errores que han cometido los pacientes.

Nadie que ha despertado espiritualmente y ve su ser tridimensional a la luz de la Verdad hablaría de la enfermedad como algo referente a sí mismo. No pensaría ni por un momento que la mente estaba sujeta a creencias viejas de la raza humana en errores, ni que su cuerpo no respondería al Espíritu.

Así que cuando alguien viene a nosotros con un diagnóstico de enfermedad que le ha dado un médico, le pedimos que se aleje de las opiniones y el veredicto del médico y que deje de pensar en el nombre que le ha sido dado a la condición que existía en el momento del examen y del tratamiento. Le pedimos que suelte la suposición de que esta condición no cambiará, desechándola de la misma manera como lo haría con algo falso y sin valor que ha oído en la calle.

Inmediatamente la persona debe regocijarse de que es el hijo de Dios, de que la vida y la sustancia de su cuerpo y el patrón perfecto de esa vida y ese cuerpo son dones de Dios, dones que en realidad son inseparablemente uno con Su propio ser, la esencia misma de la vida, la sustancia y la inteligencia de Dios. Sabes, el plan de Dios es que la creación manifieste Su imagen, que exprese Sus ideas, cualidades y ser. Nuestro propósito de estar aquí es llegar a estar conscientes de y expresar en nuestras vidas el verdadero patrón y las cualidades de nuestro Padre-Madre.

Sabemos muy bien que Dios no crearía a una persona con imperfecciones, defectos o enfermedad. También sabemos que Dios no crearía autómatas sin libre albedrío o el privilegio de ejercitar sus poderes de hijo. De la misma manera como les damos a nuestros hijos —con nuestro propio concepto de ellos y con el deseo de que vivan como deben y para que anden erguidos— lo mejor que podemos concebir, y luego les permitimos que desarrollen sus poderes, facultades y sus cuerpos templos según la inteligencia interna y la vida los impulsen. Les damos las mejores instrucciones, pero si somos sabios, permitimos que el Espíritu en ellos desarrolle el alma, para que puedan expresar sus dones individuales.

Aceptamos la perfección dada por Dios. Hacemos a un lado los errores pasados y las sugerencias falsas, y fijamos nuestra atención completa en el Creador y en el patrón interno de perfección. En esto se basa el éxito del tratamiento espiritual. Traemos todas las actitudes y los centros de conciencia, y hasta las estructuras físicas, a este lugar alto en la mente donde vemos como Dios ve y donde le damos nombre a todo lo que está en nosotros según los patrones y usos para los cuales han sido creadas estas cualidades del alma y sus manifestaciones.

Fervorosamente consideramos todos nuestros hábitos en nuestra manera de vivir para obtener una comprensión mejor de sus propósitos y para saber si están en acorde con la ley divina de la salud. Observamos si nos estamos preocupando o si tememos algo. Miramos más allá de la mente consciente al plano de la subconciencia, o memoria, para determinar si hay algo que sucedió en el pasado que continúa su influencia perturbadora por medio de la expresión inconsciente de la mente. Muchos de los hábitos de la vida están formados de estas experiencias y entrenamientos pasados. Muchas cosas que hacemos a diario no las pensamos de manera consciente sino que son la continuación de algo que ha sido grabado en nosotros hace mucho tiempo.

Nos regocijamos y recordamos que tenemos el poder dado por Dios de cambiar las condiciones, el amor dado por Dios para expresar nuestra semejanza crística, y trabajamos amorosa y diligentemente con lo que quiera que encontremos en nosotros o en nuestro medio ambiente que no dé la talla. Al mantener la atención centrada en la Mente Crística, podemos ver más allá de las apariencias a los impulsos del alma, que siempre nos está animando en nuestros esfuerzos para utilizar lo que Dios nos ha dado. En la medida que permitamos que el Cristo se eleve, en esa misma medida nos libraremos de lo que puede haber sido considerado incurable o que puede haber parecido una enfermedad incurable. Recordemos lo que dijo Jesucristo: "Para Dios todo es posible" (Mt. 19:26), y prestemos atención hasta que oigamos en nuestro interior: "¿Acaso hay alguna cosa difícil para Dios?"

Cualquier pensamiento que no esté basado en la realidad eterna; la Verdad, no tiene existencia. Si *creemos* en la enfermedad estamos creyendo en algo que no tiene sustancia ni realidad. Cuando disolvemos la *creencia* de nuestras mentes y en su lugar establecemos la comprensión de la *única* Presencia y el *único* Poder del bien, y ejercitamos nuestra fe en la *salud* como la *única* Presencia y el único Poder en nosotros, logramos la convicción de que somos la expresión de la salud que Dios *es*.

Esta convicción poderosa de unidad con la integridad divina llegará a morar en nosotros —nada puede quitárnosla. "Dios es amor", y Su amor ha expulsado todo temor de la mente y el corazón. No hay cabida para las dudas y los temores porque Dios como amor y salud reina supremo en nosotros.

Nos ponemos a trabajar para cambiar cualquier cosa, y todo lo que podamos pensar que no da la talla, con lo mejor de lo que nos muestra nuestra nueva luz. Sabemos que es de mucha más importancia cambiar y hacer lo que es mejor para nuestro progreso y nuestra salud que ser impecablemente consistente o dar la excusa de que siempre hemos hecho una cosa y que es muy tarde para cambiar. En el momento que descubrimos algo indeseable en nuestras mentes o en nuestras vidas debemos tratar de hacer los cambios necesarios para que se manifieste lo deseable.

Prosperidad permanente

La única manera de llegar a ser permanentemente próspero y tener éxito es por medio del avivamiento, el despertar y el uso correcto de todos los recursos moradores del Espíritu. Cuando desarrollamos nuestra alma y expresamos sus talentos y aptitudes en servicio amoroso a Dios y a la humanidad, nuestras necesidades temporales serán satisfechas de manera abundante. Tenemos acceso a un plano de ideas ricas; enriquecemos nuestra conciencia al incorporar estas ideas ricas. Una conciencia rica siempre demuestra prosperidad.

"El reino de Dios está entre vosotros" (Lc. 17:21). Jesús dijo: "Buscad primeramente el reino de Dios y su justicia, y todas estas cosas os serán añadidas" (Mt. 6:33). Esto significa que debemos encontrar la riqueza de las posibilidades y de los recursos espirituales en nosotros, y traerla a manifestación. Cuando desarrollamos el poder de lograr las cosas y desarrollar las cualidades que necesitamos para lograrlas, el éxito es asegurado.

Debemos depender completamente del reino *interior* de provisión y del Cristo morador, porque esta manera interna es la única que nos capacita para recibir de manera permanente. Debemos dejar de depender de canales externos y materiales de prosperidad, porque cuando miramos a lo externo perdemos de vista la única Fuente que está en nosotros.

La prosperidad es el resultado de cumplir con las leyes que el Espíritu interno de la verdad nos revela. Aquellos que son prósperos y tienen éxito tienen una conciencia rica. Abren sus mentes a ideas ricas, y luego les sacan provecho de una manera externa. La gente famosa y que tiene éxito ha desarrollado sus habilidades innatas y ha utilizado las ideas que han producido el éxito que han tenido.

A veces comenzamos en el extremo equivocado de la línea de la prosperidad, y nuestros métodos necesitan cambiar. Quizás tratamos de acumular dinero para satisfacer nuestras necesidades temporales sin primero apropiarnos del equivalente del dinero en los planos internos de la conciencia. Este equivalente interno consiste en nuestras ideas ricas, nuestras capacidades innatas y los recursos del Espíritu.

Una gran ayuda en traer a la realidad prosperidad permanente es darnos cuenta de que ¡no trabajamos para producir dinero para pagar nuestros gastos! Ésta es una ilusión de la mente mortal. En realidad, al ganar dinero estamos expresando las facultades y poderes dados por Dios para bendecir a otros, y para cumplir con nuestra parte de la ley divina de dar y recibir. La provisión es un regalo de Dios y es nuestra porque es una parte del plan de Dios para nosotros. Debemos aceptarla con fe como tal. Aguarda a que venga y vendrá.

La prosperidad no es la acumulación de dinero o de las llamadas riquezas, como hemos creído algunas veces. ¿No sería terrible estar eternamente rodeados de las trivialidades materiales que, en nuestras fantasías infantiles, creemos que son la prosperidad? ¿No te aterraría pasar la eternidad atado a cadenas de casas y tierras, almacenes llenos de comida, armarios llenos de ropa, garages llenos de carros y cofres llenos de plata? ¿No te aterra pensar que los hombres y las mujeres estén siempre engañados con la creencia de que estas cosas son la realidad, lo realmente valioso en la vida? ¡Tendríamos que emplear guardias y ocupar todo nuestro pensamiento en cuidar nuestra riqueza! Nunca podríamos ir al lugar donde aquietarnos y aprender del Padre las cosas profundas, las que satisfacen el alma —las lecciones que están allí para que nos elevemos a la majestad de nuestra calidad de hijos de Dios— ¡nuestra comprensión de la unidad! Regocijémonos, entonces, de que nuestros recursos son las cualidades de Dios, las prácticas y sustancias espirituales de las cuales se manifiestan nuestro cuerpo, nuestro hogar, en respuesta a nuestra necesidad y nuestro mundo de fe, sabiduría y autoridad.

Regocijémonos porque nuestro bien yace en el plano de la Mente, donde está disponible y responde a nuestro pensamiento, palabra y necesidad. Regocíjate porque todo está bajo la ley, porque la ley nos mantiene, consciente de que ¡una actitud negativa no produce resultados deseables! Las lecciones que nos dan la experiencia son útiles para nosotros mientras aprendemos la inmutabilidad de la ley y determinamos en nuestras mentes que prosperidad es progreso, logro de lo que uno tiene urgencia de hacer, ganancia en asuntos espirituales, mentales, físicos o financieros para lograr lo que es bueno y necesario. La provisión de abundancia para las llamadas necesidades temporales es parte de la prosperidad. ¡Y con seguridad, como Dios nos ha dado este ser físico, y la tierra física y toda su provisión, no es incorrecto que nosotros alcancemos el uso completo, con absoluta libertad, de todo eso!

Si alguna vez vamos a comprender y a utilizar las leyes superiores espirituales, debemos aprender a utilizar las leyes que gobiernan nuestro estado presente. Al hacer esto, veremos que son fases diferentes de la misma ley.

"El Señor está más dispuesto a dar que nosotros a recibir".

La generosidad de Dios está en nosotros, sin desarrollar y a nuestro alrededor, sin utilizar y mal entendida. Es nuestra para que la utilicemos como el Padre lo ha hecho.

¿Te oí decir que la curación proviene del Espíritu morador pero que la prosperidad proviene de fuera o que es algo externo? Bueno, ¿estás seguro? Veamos. El Espíritu morador es la fuerza que aviva, ajusta y armoniza, sí. Debemos estar de acuerdo en tener pensamientos de salud, bendecir el cuerpo y expresar aquello que causa que todas las funciones del organismo se lleven a cabo perfectamente. Pero también existe el lado físico de la salud. ¡El Espíritu tiene que tener sustancia por medio de la cual manifestarse! Tú debes proveer la sustancia manifiesta y los elementos de vida en las bebidas y los alimentos apropiados, la luz del sol y el aire. Sin ellos el Espíritu no tendría vehículo —¡y éstos se manifiestan en lo externo! ¿Comprendes?

Es lo mismo con la prosperidad. El Espíritu de Cristo en ti revela el plan de Dios en tu vida y aviva en ti el estímulo y el deseo por las actividades y las apropiaciones que cumplen con la ley divina en tu ser. Tus facultades deben permitir que el Espíritu trabaje por medio de ellas, y desarrollarlas al punto en que puedan expresar las ideas crísticas. Ellas deben aprender a servirse de la sustancia espiritual universal, moldearla y hacer uso de ella bien sea para salud o prosperidad. Hemos aceptado las sugerencias de aquellos cuyas opiniones en otras cosas podríamos no estar de acuerdo y pensado que algunas cosas son "comida que perece". La conciencia determina si es comida que perece, o si es sustancia viva que está edificando un templo eterno. Los resultados que obtenemos del uso completo y libre de la vida y de la sustancia los determinan nuestras creencias y hábitos.

Cuando desarrollas tu alma y expresas sus talentos y capacidades en servicio amoroso a Dios y a la humanidad, tus necesidades temporales se satisfacen abundantemente. Tienes acceso a las ideas ricas de la Mente Divina; enriquece tu conciencia al incorporar ideas ricas a ella. Cuando hagas uso correcto de tus recursos internos del Espíritu, te convertirás en un imán para el éxito.

Una lección espléndida de prosperidad se encuentra en el primer capítulo de Josué: "Solamente esfuérzate y sé muy valiente, cuidando de obrar conforme a toda la Ley ... no te apartes de ella ni a la derecha ni a la izquierda, para que seas prosperado en todas las cosas que emprendas. Nunca se apartará de tu boca este libro de la Ley, sino que de día y de noche meditarás en él, para que guardes y hagas conforme a todo lo que está escrito en él, porque entonces harás prosperar tu camino y todo saldrá bien ... porque Jehová, tu Dios, estará contigo."

Cuando tienes cuidado "de obrar conforme a toda Ley", ésta te abrirá todos los caminos y avenidas externas de provisión.

Aquellos que toman tiempo regularmente para la oración y meditación, para obtener nueva luz y para completar su conciencia y habilidad de utilizar todas sus facultades, encuentran que van de una experiencia de prosperidad a otra. Frecuentemente finalizan un proyecto con otro ya en camino. Esto no implica que se quedarán sin recursos. Lo que quiere decir es que se les está ofreciendo el próximo escalón, y que al entrar en la nueva empresa o mayor luz dada en el lugar presente, están creciendo y manifestando más de los recursos internos.

La verdadera prosperidad no es hacer dinero, atesorar bienes o acumular propiedades. Es determinar lo que nuestras almas requieren para que desarrollen más de Dios; para luego armonizar sus expresiones con las necesidades de nuestros congéneres para que todos se beneficien y sean inspirados a desarrollar y expresar más de sus recursos espirituales internos. El intercambio de mercancía y dinero es simplemente fortuito para esta asociación y crecimiento espiritual. El éxito con el dinero viene como resultado; pero hay otros resultados que deberían buscarse y en los cuales nos deberíamos regocijar aun más que en lo financiero.

La salud radiante, la libertad física y el mayor despertar de todas las facultades y sus centros físicos de actividad es otra ganancia más valiosa que el aumento en salario y el ascenso a una silla más grande en la oficina de la gerencia.

El sentimiento de que uno está haciendo algo para ayudar al establecimiento del reino de los cielos en la tierra es una gran recompensa producto de las horas de oración y del esfuerzo de habernos liberados de la esclavitud comercial y sus métodos. Debemos tener cualquier cosa que necesitemos, sí. Pero estamos progresando hacia la hora en que trabajaremos en algo realmente constructivo, algo que revele a Dios en la gente y en el mundo de Dios, algo que nos dé el privilegio de decidir por nosotros mismos, bajo la guía del Espíritu, cuándo debemos ir y cuándo debemos venir. Tan pronto como seamos capaces de ello, el Señor nos colocará en tal posición entre nuestros congéneres. Pero antes de que se nos dé este lugar, debemos dar prueba de que siempre estamos considerando el mayor bien para nuestros prójimos y que tenemos la habilidad de discernir qué es lo que necesitan y ponerlos cara a cara con ello. ¡Desarrollo espiritual, ves, así como también habilidad y éxito temporales!

La subconsciencia

La mayoría de nosotros hemos tenido que enfrentar y lidiar con algunas cosas que conservamos en el subconsciente. La mayoría de nosotros hemos tenido tantos años de entrenamiento arduo en creencias mortales, en las convicciones del intelecto y los sentidos, que tenemos estados subconscientes de la mente muy fijos, los cuales tienen su repercusión en los estados del alma y en las condiciones físicas.

Dondequiera que a las creencias en la materialidad, en el poder de la enfermedad o en la adversidad de cualquier tipo, se les ha permitido establecerse en la mente y resultar en formaciones de carne o en la actividad funcional, se necesita una gran iluminación —y no solamente iluminación sino identificación formal y constante de nosotros mismos con Jesucristo y Su maravillosa humildad y obediencia, y con el conocimiento espiritual de dominar los elementos físicos— también se necesita disolver estas creencias. Pero mientras que en nuestras mentes subconscientes (nuestra memoria y maneras de pensar) exista aquello que no está acorde con la Verdad (Dios, el bien, la única presencia y poder en todo y a través de todo), continuaremos enfrentándolo de una u otra manera, y estaremos obligados a seguir utilizando la Verdad y el poder que Dios nos ha dado para cambiar nuestras maneras de pensar si vamos a echar fuera lo viejo y a establecer un nuevo orden.

Mientras recordemos experiencias que fueron tristes, las veamos como una vez las vimos y las seguimos recordando y hablando de ellas, somos incapaces de demostrar gozo, prosperidad y salud en nuestras vidas. Debido a la falta de comprensión, estas cosas aparentemente desagradables han hecho impresiones negativas en nuestras almas. Cualquier cosa que esté impresa en nuestras almas se manifestará en nuestro cuerpo y nuestros asuntos. Porque las actividades de la mente en sus contactos con la Mente Divina y también con el mundo de las apariencias y las mentes de los demás, construyen el alma, la cual a su vez forma el cuerpo por medio del cual manifiesta sus impresiones y el impulso interno. Los deseos y las impresiones del alma también crean las condiciones bajo las cuales vivimos.

Comprender esta ley de la acción mental nos ayuda a ver por qué tenemos las experiencias que tenemos, por qué reaccionamos a ellas y por qué es importante ir a la Mente-Dios por más luz, vida, amor y sustancia. Tenemos el poder de cambiar nuestras impresiones del alma y de nuestros subconscientes, por medio de la Mente Crística moradora, y cambiar nuestros cuerpos y sus funciones, así como también las condiciones a nuestro alrededor.

Darnos cuenta de que cada pensamiento de Verdad que viene a nuestras mentes está tomando su sitio en nuestra subconsciencia y está manifestándose en nuestra carne como armonía y salud radiante, nos da renovada fortaleza y confianza. Nuestros cuerpos templos son el fruto de nuestras mentes. Las verdades que mantenemos en nuestra mente redimen y sanan nuestra carne.

En Espíritu y Verdad ahora y siempre somos íntegros en cada átomo. Al remover los pensamientos falsos y mantener siempre la imagen y semejanza de integridad ante los ojos de nuestra mente y tratar de *sentir* que estamos sanados, la salud se hace irresistible y tiende a manifestarse.

Cuando a un alma se le estimula a desarrollar las facultades mentales y a abrir el corazón a un sentimiento mayor de amor por la humanidad, esto abre la puerta del subconsciente que le permite escudriñar el pasado. Antes de que seamos libres de las fallas y de la ignorancia de la mente de la raza, debemos despertar al hecho de que estas cosas existen y que estamos conectados con ellas hasta que por medio de la Mente de Jesucristo nos liberemos de ellas y nos establezcamos en una conciencia de vida, luz, libertad y amor.

No logramos este lugar de vida, luz, libertad y amor permitiendo que el alma more en estas cosas sombrías del pasado ni tratando de recordar las experiencias que han marcado lo que somos. Si tardáramos en abandonar esos temas, volveríamos a sumirnos en ellas. Debemos comenzar de una vez a regocijarnos en la luz que ha venido a redimir nuestro subconsciente de las sombras del miedo, la superstición y los errores. La mente de la raza con la cual estamos conectados por las experiencias y creencias comunes sugiere que no sabemos de dónde venimos, ni a dónde vamos, ni siquiera cómo dirigir nuestros pasos en el camino. Al observar con este pensamiento limitado, todo es lúgubre, y parece que andamos a tientas, dejando mucho sin hacer. Mas hay una manera nueva y maravillosa de vida. Jesucristo vivió tan ávidamente la luz que vino a Él día a día, que la vida dejó de ser un misterio gris para Él. Él se veía a Sí mismo y a los otros bajo una luz nueva. Él comprendió por qué había venido al mundo. Él sabía hacia dónde iba. De hecho, Él sabía que no iba a ninguna parte en el sentido de separación y distancia. Sabía que Se estaba uniendo con la mente de la raza humana para poder morar con nosotros y ponernos bajo la maravillosa luz en la cual Él mora.

Cuando dejamos de pensar en sombras y falta de conocimiento y comenzamos a traer a la mente las enseñanzas de Jesucristo, la luz brilla para nosotros. No nos importará escudriñar el pasado ni recordar sus experiencias. Sabremos que todo lo que se considera útil morará en nosotros. Estaremos satisfechos de darnos cuenta de que cuando nuestro crecimiento requiera que saquemos algo del subconsciente, llegará sin molestarnos, sin deprimirnos.

El alma sensible entonada compasivamente con la mente y los sentimientos de la humanidad sufre grandemente, cuando ésta se abre a la visión mental exponiendo al alma a las experiencias pasadas de la humanidad. Por esta misma razón es necesario que cada estudiante de la Verdad trate fervorosamente de entrar en la conciencia de Jesucristo de la omnipresencia de Dios, el bien. Cuando podemos mirar a la vida, presente y pasada, a través de ojos que sólo ven a Dios y al bien, podemos mantener nuestro balance. No vemos el furor de la ignorancia y de la ansiedad, ni las brumas del aparente fracaso o lo gris de la falta de amor y de la vida desperdiciada. Más bien vemos la calidez y la luz del gran sistema solar que es la planificación de la Mente creativa y que mantiene en funcionamiento el milagro del crecimiento. Vemos el resplandor del Hijo de Dios brillando a través del Hijo del hombre y de los hombres y mujeres en todas partes, quizás un poco aquí, un poco allá, pero brillando con seguridad para manifestar los frutos de Su cosecha.

Somos los hijos del Creador de este maravilloso universo.

Yo no creo que el lirio acuático siente el terror de la oscuridad en el fondo del estanque, ni permite que el lodo y el agua que le obstruyen mucho de la luz le impidan apropiarse el bien que se le provee, y empuja hacia arriba con seguridad e inteligencia hacia la libertad que estaba allí mucho antes de que el bulbo comenzara a crecer y naciera la planta. Estoy segura de que el lirio está "consciente" solamente de los alimentos en la tierra y la calidez y la ayuda del sol y el aire.

Si hacemos como sugirió Jesús, dirigiéndonos al Espíritu Santo (el Espíritu completo de Dios) y buscando conocer sólo el bien, creceremos con la misma seguridad y perfección y lograremos la conciencia crística como lo hizo Jesucristo. No digo que podemos tomar la Biblia, la cual ha sido traducida y depender solamente de ella para nuestra instrucción y guía. Hemos de depender del Espíritu Santo de Jesucristo, el cual está siempre aquí con nosotros, para darnos cualquier cosa que necesitemos.

Curación tridimensional

Dos de tus declaraciones nos motivan a dar una pequeña explicación antes de dar los principios generales para los tratamientos: (1) "Me pregunto si me enviarían, y a mi hermano también, algunas vibraciones de salud". (2) "Le pedimos que nos alivien por medio de la curación de Silent Unity". No estamos seguros de que entiendes que debes cooperar con nosotros, estudiando la Verdad para que puedas llegar a la comprensión de las leyes divinas de salud, vida y prosperidad, y uniéndote a nosotros diariamente en oración.

No vamos a decir que el trabajo que hacemos aquí no tiene nada que ver con la curación. Pero no prometemos resultados a menos que tengamos la fe y la cooperación de aquellos por quienes oramos y a quienes damos instrucción. Después de todo no es el alivio físico y mental lo que significa más para las personas que reciben tratamiento, y no estamos tan preocupados por los *resultados* como lo estamos por el crecimiento en conciencia que hará que los resultados permanezcan.

Esta ley de la salud es tridimensional: espiritual, manteniendo a una persona con la seguridad de su libertad dada por Dios de toda ansiedad, preocupación, temor y escasez; mental, dándole la inteligencia que le permite hacer lo que promueve la salud y el éxito; física, formando aquellos hábitos que lo mantienen haciendo el uso correcto de sus facultades, poderes, de la energía de la vida y de la sustancia.

Hay una tendencia a no tomar en cuenta la combinación armoniosa de estos tres elementos. Una persona puede ser muy cuidadosa en observar lo espiritual, otra en lograr resultados por medio de lo físico. Nuestro trabajo es unificar estos tres y llevar a nuestros estudiantes a que comprendan la aplicación de la Verdad del ser.

El que recuerda y vive según las promesas espirituales de la ley de la salud no se preocupa, ni trata de manejar los asuntos de otras personas, ni descuida alimentar su alma con lo que es necesario para mantenerla desarrollándose hacia el Cristo.

El que está consciente del aspecto mental de su salud trata de mantenerse libre de las limitaciones de la mente de la raza, las opiniones y exigencias de otros, las depresiones y actitudes apresuradas que evitan que las ideas crísticas encuentren expresión perfecta por medio de sus pensamientos y acciones.

El que está decidido a que su vida física manifieste la paz y el orden de la realidad espiritual y de la inteligencia divina es considerado con su cuerpo, y cuidadoso en sus exigencias para con él. Trata de comprender los requisitos físicos y de satisfacerlos todos los días.

¡Así que puedes ver que nuestro ministerio de Silent Unity es más que una fórmula o palabras para decirse a intervalos! Queremos ayudarte a vivir la vida crística aquí y ahora, lo que quiere decir vivir una vida que comprende y confía en el bien; una vida de actividad gozosa, mental y física; de libertad del temor y la preocupación; de amar el contacto con tus semejantes, sin ansiedad ante sus aparentes fallas o egoísmo. Así que te pedimos que consideres fervorosamente la siguiente explicación de tu ser, y trates de incorporar una comprensión de ella en tu conciencia, utilizándola en tu diario vivir.

Siendo tridimensionales —espíritu, alma y cuerpo— encontramos que nuestra expresión es también tridimensional, los desarrollos armoniosos y constructivos son tridimensionales, y las cosas que calificamos de indeseables, imperfectas y destructivas son tridimensionales también. Por ejemplo, la salud gozosa y radiante es el resultado del punto de vista *espiritual* correcto, el esfuerzo diario con el propósito de desarrollar las facultades y las cualidades del *alma*. El reconocimiento diario del *cuerpo* como el templo de Dios y la estructura que el Espíritu y el alma están construyendo, todo esto nos lleva a prestar atención a las necesidades del sistema. La debilidad, enfermedad, desarmonía o imperfección en el organismo son el resultado de no identificarnos con Dios, la fuente divina, y de no saber cómo apropiarnos y expresar nuestra herencia de poderes *espirituales*; así como también de algunas limitaciones en el desarrollo de las riquezas del *alma*; y un poco de ignorancia de los requerimientos del *cuerpo* y el descuido por la ley divina de la vida y la salud.

Se requiere estudio y entrenamiento para la expresión correcta de nuestra naturaleza tridimensional. El estudio y el entrenamiento deben ser más a fondo que lo que lo son nuestras primeras lecciones en la vida, porque estamos tratando con etapas avanzadas de lo mismo. Debido a la falta de comprensión hay que hacer muchas cosas de nuevo y también cambiar un sinnúmero de ellas. Así que si vamos a tener el uso completo de nuestros sentidos y nuestros órganos, debemos llegar a las causas de las desarmonías, eliminarlas y establecer un patrón y un plan de acción nuevos y perfectos. Logramos esto al recordar que somos hijos de Dios, que Dios nos ha creado perfectos, y que hay una ley establecida en nosotros que nos mantendrá desarrollándonos armoniosamente con solo reconocerla.

Nosotros hemos comenzado a encontrar este estudio de la Verdad del ser y la ciencia del vivir mucho más fascinante que cualquier otro estudio.

Saber cómo oír con la mente, discernir y discriminar entre lo verdadero, lo real y lo valioso y aquello que no es más que mera tontería y parloteo de los elementos que todavía no están organizados bajo la ley; y darse cuenta de que uno puede ser obediente y receptivo sin renunciar a su derecho de libertad de elección y acción, es un verdadero logro.

Saber cómo percibir con la mente, discernir y comprender que los nervios y células de los órganos de la vista reportan sin ser molestados por las masas de sustancia manifestada y de las acciones de los que están a nuestro alrededor, proporciona verdadero gozo y estabilidad. Y los ojos se mantienen fuertes y estables e iguales al trabajo para el que fueron formados.

Saber cómo detectar lo que es adverso y no para nuestro bien y no molestarnos por los errores aparentes, para que la mente pueda ser libre para pensar y registrar sólo bien, y la nariz (el órgano que la mente ha creado para ayudarla en su trabajo de tomar lo que se necesita y guiar al cuerpo sólo a experiencias agradables) pueda mantenerse limpia, abierta y presta para responder.

Darnos cuenta de que tenemos la capacidad dada por Dios para hacer juicios justos y comprender que este juicio puede y nos evita experiencias amargas y nos permite discriminar cabalmente en cuanto a todas las cosas, es una de las bendiciones más grandes que tenemos. La facultad del juicio ha creado el sentido del gusto, y cuando le prestamos la atención que debemos a esta facultad, nuestro gusto nos ayuda poderosamente en el cuidado de nuestros cuerpos.

Hay otros sentidos, los cuales son igualmente fascinantes y quizás más sutiles. Pero esto es suficiente para demostrar lo que queremos decir por estudio espiritual, el cual nos reeduca y nos permite proseguir desde donde muchos de nosotros nos hemos detenido.

Declara diariamente que tu vida y tu mundo espiritual, tu vida y tu mundo mental, tu vida y tu mundo físico están unidos y que estás expresando armoniosamente las ideas de la Mente Crística en estos tres planos. Convéncete de que tu vida física diaria puede y debe ser inspirada, feliz y tener propósito, no tensa ni fatigada, y que nunca es necesario hacer aquello que es dañino o debilitante para alguno de los órganos o funciones según llevamos a cabo lo que es correcto, justo, oportuno y de mérito. Al practicar mentalmente ver el plan y el mundo de Dios en tu vida, encontrarás que eres más equilibrado, que haces lo correcto y que tu cuerpo es saludable.

El plano de la mente es todavía más fascinante que la manifestación de sus ideas. Quien logra el equilibrio entre el estudio del aspecto mental y las manifestaciones, y el vivir en su ser tridimensional verdaderamente es bendecido. Es libre y gozoso, puede mantenerse saludable y próspero. El pasado no le preocupa, el futuro no lo tienta; sabe que una buena medida de bien es suya aquí y ahora. ¡Se beneficia del pasado, se glorifica en el presente y espera anhelosamente y sin miedo el futuro!

Desarrollando nuestras facultades

La única manera de morar en la conciencia cósmica es desarrollar la conciencia Crística, la comprensión moradora de la unidad con la Mente-Dios y sus ideas dirigiendo todas las facultades al llevar a cabo el propósito divino de ser.

Todos los verdaderos seguidores de Jesucristo deben disciplinar el ser humano en el viaje de la conciencia personal a la crística. La parte humana de nosotros quiere aferrarse a cosas visibles y a otra gente. Mas, a medida que el Cristo impersonal y espiritual encuentra expresión, cesamos gradualmente de apoyarnos en estas limitaciones materiales. Nuestras facultades espirituales se tornan tan fuertes, vitales y sustanciales que podemos contactar el gran invisible en ellas. Cuando estas facultades están bien desarrolladas, la realidad invisible se nos torna todavía más real, sustancial y durable que lo que las cosas materiales son para los sentidos.

Estudiamos a Dios como mente y a la gente como mente; y encontramos que en la expresión de ideas divinas la gente definitivamente tiene centros de conciencia, los cuales han sido construidos por el alma en su esfuerzo de utilizar las ideas divinas o las cualidades del ser. Hemos encontrado que hay doce centros básicos de conciencia, que son el resultado del uso de las cualidades de Dios de vida, amor, sabiduría, poder y sustancia por parte del alma. Estos centros de conciencia son centros de la Mente-Dios; pero han construido el organismo físico por medio del cual se expresan. Tenemos doce sitios en el cuerpo donde el alma expresa cualidades definidas que forman la conciencia crística —por lo menos nosotros la llamamos conciencia Crística cuando el individuo se expresa bajo la ley divina. Desarrollar estos poderes y capacidades latentes de la persona interna es la llave que nos abre el reino y nos da la maestría crística. Cuando hacemos esto triunfamos en lo que quiera que emprendamos.

Hasta el momento ninguno de nosotros puede expresar sus facultades perfectamente todo el tiempo. Pero estamos descubriendo que podemos disciplinarnos y acudir al espíritu de Dios para que actúe a través de nosotros, lo cual es la luz que se nos da a cada uno de nosotros al nacer y que nos da lo que necesitemos con respecto al amor, sabiduría, fe, comprensión y celo, y la vida, fortaleza, el poder, la voluntad y la imaginación para llevar a cabo el patrón divino y, de una manera ordenada, eliminar o renunciar a todo lo que no ha sido implantado en nosotros por el Padre.

Para desarrollar las facultades y los poderes —talentos— y lograr la autoexpresión por medio de ellos, y en el servicio a otros, uno debe considerar, para tener éxito verdadero y estar verdaderamente satisfecho, dirigirse a la Mente-Dios y así aprender lo que en realidad es lo mejor para el alma en ese momento. A veces un alma cae en una rutina por el deseo de sobresalir en un aspecto en particular, descuidando los otros aspectos.

Necesitamos todas nuestras facultades despiertas y alertas para discernir la realidad del Ser, y para ver a través de las cosas correctas la causa subyacente y el orden y la perfección resultantes. Encontramos que un desarrollo diario de todas nuestras facultades nos mantiene más balanceados.

La fe y el amor son cualidades de la Mente Divina que nos llevan a una comunión con el Padre, la Fuente de toda luz y bendiciones. Al avivar nuestra fe con amor, podemos llegar lejos en el camino de la vida y solucionar muchos problemas. A la larga el mismo avivamiento de estas dos facultades del alma tendrá como consecuencia un desarrollo completo.

La fe y el amor impulsan a la persona a identificarse con lo mejor que conoce en la vida religiosa. Esto la lleva a la comprensión de la necesidad de desarrollar los poderes crísticos. También la ayuda a comprender la necesidad de renunciar a las creencias viejas de la raza y a los temores y ambiciones humanos. Todo lo que no da la talla se deja atrás al seguir a Jesucristo, según la persona llama y educa a sus discípulos o facultades.

El amor sin la cooperación de la sabiduría, el buen juicio y la buena voluntad no nos proporciona la expresión completa que deseamos, sin embargo, el amor purificado hace mucho más fácil el dirigir estas otras facultades de acuerdo con el patrón crístico.

Tú hablas tan a menudo de amor y de la importancia del amor y de la necesidad del amor para lograr la curación; y que haces muchas afirmaciones de amor y poder. ¿Acaso no sería bueno recordar que hay un buen número de otras cualidades igualmente importantes y que el desarrollo de éstas es tan necesario como lo es el ejercicio del amor? Dios es amor, pero Dios también es vida, poder, fortaleza y sustancia.

El amor es más que afecto y devoción animal hasta que otras facultades se desarrollen al punto de permitir que el individuo vea y comprenda en otros lo amado. La fe debe ser activa; la discriminación o el juicio deben ayudarnos a ver lo real y a comprender lo que quizás parece indigno de amor; la imaginación debe reflejar las cualidades de Dios que son adorables en nuestros congéneres y en nuestro medio ambiente; la comprensión debe evitar que el amor se convierta en negativo o egoísta; la voluntad debe mantenernos en un curso verdadero y en aquello que el buen juicio indica que es lo mejor; la renunciación juega su papel en lo que nos ayuda a renunciar a lo que retrasaría nuestro desarrollo. Debemos reconocer que la fortaleza proviene de adentro y que debe estar tan establecida y avivada que apoye a todas las demás facultades.

A veces en nuestro celo por el trabajo del Señor, de la manera como nos sentimos llamados a hacerlo, enfatizamos el lado negativo de la vida, la sustancia y el amor y atraemos lo que corresponde a esas negaciones. Por ejem-plo, un gran deseo de pureza y de ayudar a otros a conocer y vivir vidas puras puede hacer que empleemos tanto de nuestra energía de pensamiento y nuestra sustancia en la lucha contra la llamada impureza, desperdicio y debilidad que no tenemos suficiente energía y sustancia para construir nuestras propias vidas y crear la belleza que es el plan de Dios para nosotros.

Cuando todo el mundo trata de vivir en armonía perfecta con la ley divina, comienzan a ver orden en sus vidas, y la discordia, si acaso hay alguna, será lo raro. De hecho no habrá nada sino orden, armonía y condiciones perfectas cuando aprendemos a expresar nuestros seres crísticos. Lo primero y último es que debemos comprender y apreciar la vida y apropiarnos de la facultad de la vida de tal manera que mantengamos un interés vital en vivir y llevar al cuerpo a su punto más alto de desarrollo —no necesariamente a un número dado de libras ni a una fortaleza dada, ni al punto en que atiende solamente las demandas de la voluntad y la ambición personales— sino la meta de la salud radiante y la libertad que provienen de vivir desde nuestro interior, en armonía con la inteligencia interna y el patrón crístico.

La luz del Espíritu, avivando el entendimiento, nos libra de todo sentido mortal y de los límites creados por el intelecto. En la luz de la comprensión reconocemos la presencia de Dios, Su reino y Sus hijos, y vemos todo esto como uno, y cada uno en relación correcta con los demás. La facultad de la discriminación nos permite saber si realmente nos hemos despertado y hemos desarrollado la capacidad para el juicio justo, la expresión armoniosa y la actitud crística.

Es sólo cosa de renunciar a lo menor para recibir lo mayor. Mientras nuestras manos mentales y nuestras fuerzas del alma nos estén sujetando a limitaciones en lo personal, no hay cabida para las poderosas bendiciones del Espíritu que proporciona el desarrollo de las facultades por medio de la abnegación.

La parte humana de nosotros pasa por una "crucifixión", y nuestro Cristo espiritual resucita. Todo lo que es bueno y verdadero en nosotros no es crucificado —no necesita serlo. Cualquier cosa que es buena perdura y se convierte en una con el Cristo morador.

Control espiritual del cuerpo

Unity hace énfasis en el control de lo físico por parte de lo espiritual. ¡Muchas de las cosas que hacemos y esperamos controlar no son espirituales en el sentido de que no están de acuerdo con las leyes y los planes de Dios! El verdadero control no es vivir según el patrón y la ley perfectos. No es el pensamiento espiritual lo que te incita a abusar del cuerpo en alguna manera. No es pensamiento o deseo espiritual lo que te permite comer cuando no tienes necesidad de hacerlo o de ingerir alimentos que el cuerpo no necesita. No es pensamiento espiritual lo que hace que nos preocupemos, o que estemos tensos, o que dominemos al cuerpo en un esfuerzo de ganar conocimiento intelectual.

Una cosa no es menos espiritual porque ha tomado forma, peso y color. Lo que puede llamarse "material" es la concepción falsa o combinación ignorante de pensamientos y elementos, que produce un resultado indeseable. El Espíritu se manifiesta en nuestra expresión de lo que Dios da.

Nuestra vida religiosa, hasta ahora, nos ha guiado a creer que nuestros pensamientos y emociones eran todo lo que necesitábamos para nuestra experiencia espiritual; que el cuerpo se debía considerar como de poca importancia, como que si no respondiera a las cosas más finas del

Espíritu —por lo menos no como algo contribuyente sino como algo para ser "controlado" por ellas.

Evidentemente, el alma individual ha sentido la necesidad de un hogar terrenal como lo es el cuerpo templo. Debemos darnos cuenta de que el cuerpo, libre de las desarmonías y debilidades impuestas sobre él por medio del error, es una parte del plan de vida de Dios. Entendemos que las personas son seres tridimensionales. Estamos convencidos de que se requiere la apropiación regular de ciertos elementos manifiestos de la vida para mantener el cuerpo en una vibración dada —la cual conocemos como salud, resistencia y habilidad de transmutar el pensamiento en acción. No sabemos por cuanto tiempo va a estar en efecto este plan; eso no nos preocupa mucho. Mas no aprenderemos mucho acerca de las leyes y manifestaciones de aquello que está recibiendo nuestra atención hasta que hayamos aprendido a vivir según ellas. Cuando podamos sostener el cuerpo en salud, actividad y resplandor indefinidamente, habremos logrado una comprensión mayor del verdadero propósito de la vida, y estaremos listos para entrar a un modo de vida que puede liberarnos de la observancia de leyes que podemos llamar "físicas". La ciencia de construir y manejar un aeroplano no le permitiría al constructor y a los mecánicos utilizar cualquier material a la mano para diseñar las partes del avión o llenarlo de gasolina. Pero sabemos que el poder de construir y manejar la máquina está en la mente del constructor y en la atmósfera universal. Sin embargo, sabiendo esto y actuando de acuerdo, no tratamos de hacer a un lado las leyes reveladas por la inteligencia y expresadas en el funcionamiento de la maquinaria y el modo determinado para viajar.

Una persona aprende a construir un avión en el cual volar antes de que se le confíe en la ley más alta de llevar su cuerpo en el aire sin un vehículo físico.

Construir los aviones, utilizarlos y observar las leyes que gobiernan su vuelo no es negar las leyes espirituales de Dios. Es dar los pasos que llevan a la persona adelante, al descubrimiento de mayores cosas.

Así es el mantenernos en buena salud, y estudiar y aplicar leyes espirituales de acción. Debemos aprender a hacer el uso correcto de lo que tenemos —y luego nos encontraremos en posesión de más.

A veces el alma se pone tan ansiosa de lo que desea hacer que tiende a descuidar al cuerpo. Esto no es justo para el cuerpo ni para aquellos que tienen que cuidar al cuerpo cuando se le descuida. Entonces, nuestra primera obligación es bendecir nuestro cuerpo y poner nuestros pensamientos en él, alabar su maravilloso trabajo, aprender cuáles son sus necesidades y satisfacerlas. A veces las cosas suceden en el plano de los sentidos o en relación con el cuerpo físico que causan que uno lo desprecie o hasta que uno desee no tenerlo. En este caso el alma puede manifestarse tanto que el cuerpo se descuida hasta que llega a sufrir.

A veces nos tornamos muy ambiciosos, en algún lugar en el receso del alma, y literalmente nos arrancamos de raíz, y dejamos que el precioso cuerpo templo pase hambre.

Entonces vienen las experiencias duras —bendiciones disfrazadas.

Pero, sabes, Dios está allí en ese cuerpo, y Dios no permite que el alma continúe descuidando al cuerpo. El sufrimiento es uno de los medios del alma de llamar la atención a su hermoso cuerpo templo. Y la Mente Crística puede y dirige el alma para llevar a cabo su maravilloso trabajo en el cuerpo porque desea continuar teniendo este vehículo de expresión tan necesario.

Necesitamos pensar más a menudo que nuestro cuerpo es el templo del amor divino, la sustancia misma de salud y armonía, para que esta verdad pueda implantarse en la mente subconsciente, la cual controla el funcionamiento del cuerpo. Necesitamos orar más a menudo por un concepto verdadero de sustancia, porque con él recibiremos una revelación gloriosa que nos llevará lejos hacia la transformación de la mente, el alma y el cuerpo. Este concepto de sustancia no será sino el comienzo de una transformación que continuará hasta que podamos demostrar como lo hizo Jesucristo. Todos los que Lo siguen a la larga vencerán como Él lo hizo, espiritualizando el alma al punto de que su manto externo, el cuerpo, sea elevado a una expresión como la del Espíritu; porque Dios no discrimina.

El camino a la salud

Pablo dijo: "Transformaos por medio de la renovación de vuestro entendimiento, para que comprobéis cuál es la buena voluntad de Dios, agradable y perfecta" (Rom. 12:2). Para renovar el entendimiento y establecerlo acorde a la Mente Divina, en la cual todos tenemos conciencia individual, necesitamos comprender el carácter de la única Mente y la Verdad de ser como el Creador lo ha establecido. Luego es bueno entender dónde hemos cometido los errores juzgando por apariencias, aceptando ilusiones, trabajando de manera contraria al Principio, utilizando las facultades de maneras que no están de acuerdo a los propósitos del Creador. Estos errores y malos usos de nuestras facultades dadas por Dios son lo que consideramos las causas de las desarmonías humanas. El cambiar las causas también cambia los efectos.

Cuando el individuo mantiene su mente a tono con la Mente-Dios, conoce la armonía, el orden, el éxito y la salud constantes. Al seguir las enseñanzas de Jesucristo y buscar la guía del Altísimo, no damos lugar a que entre un pensamiento negativo. La salud o la armonía, es la única presencia y el único poder en el universo.

El Creador está haciendo el trabajo de restauración continuamente en toda Su creación, en cada hombre y en cada mujer, porque Él pone a sus hijos en el mundo para que manifiesten Su sabiduría, armonía, gozo, salud, perfección —todo lo que Él es.

Cuando aprendemos cómo cooperar con toda esta restauración poderosa del Espíritu, nada puede interponerse en el camino de nuestra manifestación de la salud, la cual nos pertenece por derecho divino.

Durante los períodos de comunión con el Padre en el Espíritu Santo, es posible para la persona conocer el camino a la paz, la prosperidad y la libertad de toda condenación, ansiedad o injusticia, así como también el camino hacia la salud, la fortaleza continua y la juventud. El estudio de la Verdad y la oración para una comprensión mayor de la Verdad nos lleva al orden divino descrito anteriormente. Éste es el renacer mencionado en las Escrituras y el camino al reino.

A primera vista todo esto puede parecer una ruta tortuosa a la salud, pero en realidad es el camino más directo a la salud y a todo otro bien. Nosotros como individuos perdemos salud, paz mental y otros estados deseables por no saber cómo identificarnos con Dios, el Padre, y utilizar los dones que Él nos dio y permitir que Su espíritu se exprese a través de todas nuestras facultades y poderes.

Primero que nada, al buscar un camino a la salud necesitamos ver claramente que Dios es omnipresente, tan omnipresente como la vida misma en la cual vivimos, nos movemos y tenemos nuestro ser. Hemos de verlo como la sustancia misma de la cual se forman y se nutren nuestros cuerpos; como la misma inteligencia que está en nosotros, en cada nervio, célula cerebral y estructura del cuerpo; como el amor mismo que une y mantiene en armonía perfecta (si se lo permitimos) a todos los elementos de nuestro ser; como la misma luz que irradia a través de nosotros para bendecir y ayudar a otros, la luz que nos permite comprendernos a nosotros mismos y a otros, y a toda la creación de Dios, para que siempre podamos pensar la Verdad, el estado verdadero de toda la creación.

Siempre que tenemos una experiencia de enfermedad es evidencia de que estamos dejando ir los dones de Dios. Hemos cesado de apropiarnos, analizar, asimilar y hacer uso ávidamente de la vida del Espíritu por medio de nuestros pensamientos, nuestras palabras, nuestros actos y nuestros hábitos de vida.

Necesitamos remover y avivar nuestros sentidos y darles el bautismo de la nueva vida en Cristo Jesús. Nuestro organismo ha estado dormido por falta de uso y de interés vital en vivir —no solamente en comer, beber, dormir y entretenernos, sino en las cuestiones vitales que tienen que ver con llevarnos a nosotros mismos a la expresión completa de vida de Jesucristo.

Al buscar el camino a la salud debemos orar para que podamos comprender nuestra unidad con Dios y reclamarla. Hemos de estudiar esta relación para que podamos saber cómo apropiarnos de la vida abundante, inteligencia, sustancia y amor de Dios, y edificarlos en nuestras almas y corazones para que podamos perfeccionar nuestra expresión.

Los ojos son los órganos físicos que reflejan la capacidad de la mente de discernir mental, física y espiritualmente todo lo que es. Ver es un proceso mental; y los ojos son los instrumentos que registran lo que la mente ha sido entrenada para pensar y reconocer. Cuando nuestros procesos mentales están en perfecto acuerdo con las ideas de la Mente Divina, nuestra vista es perfecta y nuestros ojos funcionan de manera apropiada.

Los oídos representan los instrumentos de la mente por medio de los cuales recibimos instrucción proveniente de la mente de Dios. Oír es la capacidad receptiva de la mente, y solamente si una persona está abierta y receptiva a la voz interior y dispuesta a ser guiada en todo sentido y todo el tiempo por esta voz de sabiduría, su sentido del oído se eleva al plano espiritual y se le da el uso que Dios tenía propuesto. Oír interiormente el silbo apacible y delicado con una mente consagrada a la obediencia entrena a los oídos para su función verdadera.

La nariz es el órgano físico de la capacidad detectora de la mente. El sentido del gusto tambiénes en realidad mental, diferenciando y apropiando. Los sentidos tienen como función permitir que la mente funcione en su capacidad de encontrar aquello que es bueno para la mente y el cuerpo, y para dirigir al individuo hacia la apropiación de ello. La mente que está acorde con el ser verdadero, el ser crístico, no está interesada en indagar acerca de lo indeseable de ninguna manera.

Con nuestro sentido del tacto debemos sentir a Dios, mantener nuestra atención en Él y entrenar nuestras facultades, sentidos, emociones y sentimientos para comprender Sus radiaciones, Sus cualidades como se expresan en nuestra conciencia, nuestro cuerpo y nuestros asuntos. Entonces, sintamos a Dios, Su presencia de amor, vida, gozo, sabiduría, poder y las expresiones de esas ideas de Dios tan positivamente y plenamente que nos avivemos e irradiemos las mismas cosas que guardan nuestras mentes para que en nuestro mundo también sientan Su presencia.

El que verdaderamente está buscando lo que es de Dios está expresando el bien y la verdad en el pensamiento. No tiene pensamientos adversos ni cree en la impureza de ningún tipo ni en sí mismo ni en otros. Y así, los sentidos del olfato y del gusto son poderes de la Mente-Dios, la cual siempre está trabajando para conectarnos con nuestro bien.

El bautizar los sentidos de la vista, oído, olfato, gusto y tacto lleva a la intuición natural, al discernimiento espiritual y al poder de identificarnos con lo absoluto (Dios, el bien). Todos los sentidos funcionan en el plano de la mente, mas todos tienen su lado físico. Nosotros utilizamos lo que ellos nos dicen en nuestro mundo del pensamiento. Aquello que pensamos de nosotros mismos o de otros, o de la creación en general, se convierte en nuestra creencia y comenzamos a registrarla en nuestras almas y nuestros cuerpos. Aquello que vemos mentalmente de manera habitual, nuestros ojos lo comienzan a visualizar, y las estructuras de las células de los órganos se afectan y construyen de acuerdo a las vibraciones determinadas por los pensamientos. Esto es verdad para los otros sentidos y sus órganos. Nuestros pensamientos y emociones negativas (sentimientos) reaccionan sobre las partes del cuerpo que tienen que ver con las fases de la vida que les conciernen.

Logramos sanar, primero que nada, al reeducar la mente y establecer la Verdad en todas las facultades. Luego, ver la realidad del cuerpo y sus funciones y estampar cada parte con el patrón perfecto, el cual es dado por Dios y conocido como el hombre crístico, la imagen de las ideas crísticas en la conciencia individual. Después hemos de estudiar los hábitos de vida y conformarlos a la verdad de que sólo el bien es verdadero, morador y verdaderamente activo.

Hasta ahora el individuo puede haber ido a médicos y cirujanos para recibir sugerencias y tratamiento. Ahora va a la Mente-Dios, la cual el Espíritu Santo prometido por Jesucristo da a conocer. El individuo se aferra a la verdad de que su cuerpo es puro, vivo y perfecto en todas partes, porque desea utilizar este patrón mental perfecto para dirigirlo en su tratamiento. Luego revisa su manera de pensar para ver si sus pensamientos son motivados por la fe, el amor divino, la sabiduría, la vida, el gozo y la libertad. Examina sus hábitos de vida para ver si está cuidando bien su cuerpo y cumple con los requerimientos de sus múltiples órganos y funciones. Se familiariza con las diferentes partes del cuerpo y aprende de lo que realmente están hechas. Aprende lo que cada una necesita y se le provea.

Formula oraciones basadas en la Verdad de su ser, y utiliza estas oraciones fervorosamente para sentirlas en el lado mental de su cuerpo. Se da cuenta de que está reeducando su mente y que está reformando las estructuras físicas.

Dios no solamente creó la tierra y nos creó a nosotros, sino que Dios es realmente la esencia misma de todo lo que vemos a nuestro alrededor y de todo lo que está en nuestro interior. Somos agentes libres que deben aprender a tomar y combinar Sus ideas y los materiales manifiestos en el alma y el cuerpo que vamos a usar. No estamos sentados aquí haciendo algo solos y, de vez en cuando, pidiéndole a Dios, fuera de nosotros, que nos ayude. En realidad Dios está trabajando por medio del hijo que Él ha concebido para ser la creación y vida ideales. Pero Él nos ha dado el poder que Él es, de la misma manera como cualquier padre inteligente le da a su hijo completa libertad para ser el hijo que él está seguro de que será. El padre le da el mejor comienzo que puede y luego se lo deja al hijo para que utilice su herencia, para que se abra su propio camino en la vida. Y eso es exactamente lo que Dios hace con nosotros. Cuando hacemos de la salud, integridad y santidad los pensamientos dominantes en nuestras mentes, reeducando nuestros sentidos físicos a su propósito verdadero, nuestros cuerpos templos con seguridad manifestarán su perfección dada por Dios, porque nuestros cuerpos son el fruto de nuestras mentes.

De aquí rehacemos nuestra conciencia para que corresponda con la idea perfecta que tiene Dios de nosotros. Nuestra parte es consagrar nuestros sentidos a la Verdad y entrenar a nuestros pensamientos como si fueran nuestros hijos para que expresen gozo, amor, fe, sabiduría, vida y salud.

Ayudando a otros

En vez de pensar en la gente que has creído que es una influencia mala e indeseable, piensa en la bondad de Dios en la vida de todos Sus hijos. Piensa en Dios como luz, amor, paz, poder y vida presentes en todas partes. Piensa en todos los hombres, todas las mujeres, todos los niños morando en la presencia de Dios y expresando Sus cualidades. Al hacer esto, tocas la realidad de las personas e invitas a que se manifieste sólo lo mejor de ellas. El Espíritu responderá como tú lo esperas, porque el espíritu de Dios está en cada persona. Algunas personas no han despertado todavía a esta comprensión; pero a medida que declaras la Verdad para ellas y esperas que se manifieste hacia ti a través de ellas, recibirás solamente un trato amoroso y considerado por parte de ellas. Al leer estas explicaciones de la manera en que un alma puede apropiarse su herencia de Dios y ejercitar su libertad dada por Dios en la empresa a llevar a cabo y utilizar sus poderes, ora por más luz que te permita ver lo preciosas que son estas personas y lo importante que es que todos tengamos libertad para corregir nuestros errores.

La mejor manera de ayudar a tu hermano es orar por él para su iluminación espiritual. Entonces si ha llegado a un lugar en el desarrollo de su alma donde está listo para aceptar la Verdad, tendrá la comprensión y el deseo de buscar al Cristo morador.

Nunca es recomendable tratar de forzar la Verdad en nadie. Pon a tu hermano "amorosamente en las manos del Padre", y ten presente que su propio Señor morador lo cuidará hasta que esté receptivo a las ideas de Verdad.

Tú eres bueno, sí. Pero es una bondad negativa. Porque no te has dado cuenta de tus poderes y no les has dado un uso positivo y con propósito. Has sido creado para sentir que la no resistencia, la rectitud, el cristianismo y el servicio amoroso todos son pasivos. Has permitido que tus ideas personales de amor y buena voluntad te hagan demasiado compasivo e inclinado a dar, sin buscar ni pedirles a la sabiduría y al buen juicio que te guíen.

Ahora, mientras estar siempre listo a ayudar a los demás es una virtud, debemos estar seguros de que verdaderamente los estamos ayudando, y no retrasándolos al permitirles que continúen con los hábitos poco sabios que los han llevado a la escasez.

La mayor ayuda es poder mostrarles a otros cómo pueden ayudarse a sí mismos y llegar a mantenerse a sí mismos y ser ingeniosos. Estudiar y orar, algo como la literatura de Unity, te dará el conocimiento y el poder de ayudar a otros a comprender y manifestar su prosperidad.

Tienes una tienda. ¿Has traído a Dios en sociedad contigo? ¿Comienzas cada día con una comunión callada con Dios? ¿Le pides a Dios que te muestre lo que debes hacer en cada transacción?

¿Bendices tu tienda, el local, el inventario, las cuentas, los clientes, los vendedores? ¿Llenas la atmósfera con pensamientos y palabras de amor, sabiduría y prosperidad?

¿Les pides a otros lo que te pides a ti mismo, que usen buen juicio y autonegación cuando sea necesario? ¿Los haces comprender que Dios prospera a aquellos que hacen su parte y que esperas que hagan su parte para pagar sus cuentas para que tú puedas pagar las tuyas y seguir con la tienda, el servicio que te sientes guiado a ofrecer?

¿O crees en la enfermedad, la pobreza y la desarmonía a tu alrededor? ¿Permites que las personas se lleven mercancía porque crees que la necesitan, o porque son hijas de Dios y de esta manera tú estás ayudando a Dios a prosperarlas y hacerlas felices; y porque tu negocio va a prosperar, y todo va a traducirse en una bendición mayor? ¿Oras por su prosperidad? ¿Esperas que Dios en esa gente y Dios en ti los motive a hacer lo que es correcto?

Al estudiar este asunto obtendrás una comprensión mejor de la ley de prosperidad y serás guiado a un manejo más feliz y más exitoso de tus asuntos diarios.

No sientas que debes abrir las manos y dar todo lo que tienes. La conservación es una de las reglas del éxito. Debes esperar que otros hagan su parte. Y todo el mundo, sin importar cuántos fracasos haya tenido, puede hacer su parte.

¿No estás dándole al Espíritu mucho crédito por la habilidad de trabajar en la conciencia y los asuntos de tu hermano, verdad? Al mismo tiempo dices que el Espíritu lo ha sostenido estos meses y que ¡sientes que no puede soportar la tensión por más tiempo! ¿Puedes ver en el estado de conciencia confundida en el que estás, y qué tonto es orar y esperar que el Espíritu exprese Su armonía, orden y luz en ti mismo o en otro, si sientes que tú o el otro se desplomarán en cualquier momento por la falta de poder espiritual, luz, vida o sustancia?

Supón que "su mente", este estado mental tenso que ha estado causándole la preocupación, la ansiedad y el cansancio, ¡cede! ¿Entonces qué? ¡Eso es exactamente lo que debe suceder! ¡Este estado mental viejo y fijo debe ceder o ser cedido, para que las ideas crísticas puedan fluir libremente a través de su conciencia y darle la vida, la luz, el equilibrio, el poder y la sustancia nuevas que necesita! Anímalo a que deje ir, a que se ponga al cuidado y guarda de Dios. La suposición personal de responsabilidad es lo que lo hace sentir que debe aferrarse tenazmente a sus opiniones y maneras de obrar. ¡Esto es lo único que lo mantiene fuera del reino de los cielos y de sus bendiciones! El tratamiento que ha tenido, si hubiera cooperado, lo habría elevado hace mucho tiempo a la conciencia crística de paz, orden y éxito.

¡Te pedimos que lo pongas con confianza al cuidado de su Señor morador y que le quites tus manos mentales de encima! ¡No le hagas tratamiento! Mientras trates de forzar algo en él, mantienes su atención dividida, y no puede aquietarse y dirigirse a su interior lo suficiente para permitir que su alma comulgue con Dios. Déjalo en el lugar secreto, con el Padre. Sabes, ¡Jesús ha prometido que aquellos que van al Padre en secreto serán recompensados abiertamente!

La luz espiritual que viene a él desde adentro le mostrará la absoluta tontería de forcejear, preocuparse y competir. Le revelará la relación correcta de las cosas espirituales y las cosas manifestadas. Verá claramente cómo la actitud mental correcta, el equilibrio físico y la salud se traducirán en progreso, prosperidad y satisfacción instantáneos y constantes. No puedes darle esto. Ni nosotros tampoco podemos. Es el regalo gratuito del Padre en él.

¿Qué crees acerca de este Padre, que Jesucristo probó que siempre está dispuesto a escuchar y contestar todo llamado en el nombre de Su Hijo Jesucristo?

¿Buscas ser llamado? ¿Sabes cuándo eres llamado? Tienes que ir directamente a Dios para conversar estas cosas. Dirígete a tu cuarto de oración, "al abrigo del Altísimo" (Sal. 91:1), y *cierra la puerta;* luego ora.

No se nos promete la atención del Padre cuando simplemente clamamos: "¡Oh, añoro tanto hacer algo por esta persona enfermiza!" ¿Acaso Jesucristo llevó a cabo alguna curación meramente deseando tener el poder? No. Dios le dio el poder; todo lo que se le pedía que hiciera para apropiárselo era reconocer que "El Padre y yo uno somos" (Jn. 10:30).

Así que, querido amigo, si crees en las obras del Padre, cree también en Su Espíritu en ti esperando ser reconocido y puesto en un uso práctico. Gracias al "Cristo en ti" eres el "Hijo amado" en quien el Padre tiene complacencia.

Todo poder se te da en todos los asuntos de mente y cuerpo. Ejercita tu poder dado por Dios, tu autoridad y dominio, y elévate por encima de la esclavitud de condiciones de escasez y discordia.

Hay un refrán que dice: "Ayúdate que Dios te ayudará". Tú eres el ejecutivo de Dios, y tu Señor morador depende de ti para manifestar Su gloria. Al hacer esto no solamente te estás ayudando a ti mismo, estás ayudando a otros.

Acerca de la edad

En el pensamiento verdadero de la vida, los años no tienen poder para quitarle a la vida lo que Dios le ha dado. Los años no tienen poder para quitarle a la vida lo que Dios ha ordenado que debe ser infinito, permanente, durable, vida *eterna.* Cuando podamos concebir la vida como eterna, veremos que como Dios es vida eterna y ha hecho a Su hijo como Él mismo, Su Hijo debe tener vida eterna.

¿No nos dice Jesús claramente: "El que cree en el Hijo tiene vida eterna"? "Yo les doy vida eterna y no perecerán jamás." "Como el Padre tiene vida en sí mismo, así también ha dado al Hijo el tener vida en sí mismo". "Yo he venido para que tengan vida, y para que la tengan en abundancia".

Jesucristo resucitó Su cuerpo templo de la tumba, y Él vive en ese cuerpo espiritualizado ahora, aunque no podemos verlo con la visión limitada y material. Él prometió que las cosas que Él hizo todos Sus verdaderos seguidores las harían.

Es "Cristo en vosotros, esperanza de gloria". Cristo es el principio de vida en cada uno de nosotros, y debemos reconocer que esto es nuestra vida siempre en aumento.

Sabes que hay mucho por superar para poder hacer lo que nadie puede hacer por nosotros si esperamos heredar esto maravilloso que Jesús nos prometió: vida eterna.

Debemos vencer las ataduras de la mente mortal. Al estudiar los caminos de la vida eterna, hacemos a un lado toda esclavitud a los años y permanecemos en la conciencia eterna de juventud de mente y cuerpo que Dios nos ha dado para que demostremos Su plan divino.

La mente de la raza introduce en la conciencia el pensamiento de edad, a menos que nos elevemos de ella por medio de una comprensión de la vida inmutable del Cristo morador. La creencia en la edad dice que en cierto período el cuerpo comienza a tornarse un poco lento, aumentar en carnes y estar menos vivo. Las estructuras de las células responden a esta creencia errada, y la persona se cansa fácilmente y el cuerpo afloja el paso o sufre de dolores. Todo esto es mental. Por otra parte, también está la causa física de la edad. El que no comprende que el cuerpo requiere cuidado día tras día a menudo no hace lo que es mejor para el cuerpo. Entre nosotros es un error común el no hacer ejercicios, descansar, trabajar, comer y beber como deberíamos. Los hábitos alimenticios son quizás los que tienen el efecto más directo en el sistema. Si estuvieras en un estado mental feliz, haciendo una cantidad razonable de un trabajo que te encanta hacer y comiendo los alimentos que deberías comer, tus miembros y pies no te causarían problemas. La hinchazón, la rigidez y el estado adolorido son evidencia de acumulaciones en la sangre y en los tejidos. La curación se producirá por medio de la actitud mental correcta y el dirigirse al cuerpo y decirle la Verdad; luego seguir este tratamiento diariamente con hábitos de vida sensatos y científicos. Consume los alimentos que son necesarios, para que el torrente sanguíneo pueda estar limpio, vital y capaz de hacer su trabajo de limpiar la acumulación y reconstruir y perfeccionar los músculos, nervios, huesos y tejidos.

No podemos aconsejarte en cuanto a las operaciones; ni prometemos buenos resultados de la oración cuando la persona va deliberadamente en contra de la ley espiritual de la vida y la salud. La juventud y la buena apariencia de la juventud son los frutos de actitudes jóvenes, anhelosas, gozosas y amorosas de mente y corazón. La obediencia a la ley del amor y la vida resulta en armonía y orden en el organismo. La carne refleja actitudes mentales fijas.

Recurrir a "remiendos" es obtener resultados temporales sin cambiar la causa que produjo la imperfección. Regocíjate de que tienes la visión de ver cómo la tendencia de tu mente subconsciente se refleja en tu carne; y ora por sabiduría y valor para caminar en la luz.

A ninguno de nosotros nos gusta realmente ver los resultados de la creencia en la edad, ni la desarmonía, la pena, la falta de amor y el sentimiento de la debilidad humana. Pero no logramos ningún bien llamándolos "comunes" o tratando de remendarlos por métodos que chocan los nervios y hacen exigencias sobre nuestros recursos —sin haber cambiado nuestra actitud mental. La única ayuda verdadera está en elevarnos a la conciencia crística y permitir que esta conciencia se ejercite en todos los detalles de nuestro diario vivir.

Ten presente que tienes el mundo de Dios en la boca y en el corazón. Regocíjate de que esto es verdad, y pronuncia palabras de Verdad con gozo, poder y amor. Espera que las palabras que has pronunciado y cantado produzcan resultados. Erradica los pensamientos, palabras y tonos destructivos y negativos. Estudia tu voz como un don eterno de Dios que tiene como su fuente el poder, la belleza, la armonía y la sustancia de las ideas divinas, que responde a cada una de tus emociones y pensamientos. Espera mejorar.

Deja ir la actitud mental que causa un sentimiento de carga —esa creencia en la edad que te agobia con "años". Tú vives en Dios, no en años; en hechos, no en números. En lugar de pensar, "Me están cayendo los años", únete al espíritu de la juventud de alegría de vivir y de amar.

Notarás que no dijimos "viejo", porque *no* eres viejo. Puede que les hayas cedido a algunas de las creencias de la raza acerca de la edad y no te hayas cuidado ni hayas utilizado plena y libremente la vida y sustancia abundantes de Dios. Pero no eres viejo.

Permite que nos expliquemos. Eres un ser tridimensional. Sin duda has aprendido de la Biblia el hecho de que el Espíritu de Dios mora en nosotros y nos da aliento. Y que tenemos un alma. Y un cuerpo físico. Pero ¿has estudiado estos hechos para comprenderlos, para saber cómo utilizar esta naturaleza tridimensional de la manera como Dios tiene en mente?

Hemos aprendido y estamos dando prueba de que la presencia, la vida y la inteligencia mismas de Dios moran siempre en nuestro ser. El Espíritu de Dios es lo que te da inteligencia y vida. El espíritu ha desarrollado para ti esa vida que llamamos alma. Y el alma ha construido el cuerpo y continúa renovándolo y reconstruyéndolo día a día.

El Espíritu no tiene edad; es eterno, como Dios es eterno e inmutable. El alma no es vieja en el sentido de que su ser no está lleno de años ni decaído. El alma siempre está desarrollando ideas de Dios, y éstas son inmutables. El desarrollo de las cualidades del alma causa que el individuo sea más maduro en su juicio y expresión, y como el alma siempre está en contacto con lo que es verdaderamente de Dios y del Hijo de Dios, está fresca y deseosa de experimentar la vida.

El cuerpo, que está hecho de la acción de los pensamientos de vida, amor, sustancia, poder e inteligencia en todo el mundo, nunca es viejo. La misma sustancia que le da al cuerpo su forma y que lo nutre y lo sostiene es siempre nueva y responde a los pensamientos de vida que se estampan en ella.

Estamos dando prueba de que el cuerpo se renueva completamente en menos de un año, y que uno puede renovarlo, reconstruirlo y cambiar su apariencia al cambiar los pensamientos y los hábitos de vida.

¿Estás comenzando a tener un interés nuevo en la vida? ¿Vas a impedir que te digan "viejo"? Comunícales que te estás renovando y que Dios te encuentra listo para que Lo representes en tus pensamientos y acciones.

Los fisiólogos que observan cuidadosamente los nuevos modales del cuerpo ahora declaran que nos renovamos corpóreamente en menos de un año. ¿Por qué se avejenta la carne si se renueva tan a menudo?

Debe ser que los moldes viejos de la mente mortal y las ideas que corresponden a ellos necesitan remodelarse, y el remedio es "Transformaos por medio de la renovación de vuestro entendimiento" (Rom. 12:2).

Continúa orando por fe, porque a través de la oración desarrollas todas tus maravillosas cualidades del alma. No son las medicinas las que logran la curación; ellas son solo algo tangible en lo que pones tu atención mientras Dios en medio de ti, hace Su trabajo restaurador. "Yo soy Jehová, tu sanador" (Ex. 15:26).

Así que no pienses que los medicamentos son "ayudas", porque a veces llenan el sistema con toxinas que retrasan el trabajo del poder sanador del Espíritu. Si necesitas algo visible al ojo humano en lo cual depositar tu fe, podría ser mejor estudiar las posibilidades de la dietética, darle a tu cuerpo los alimentos correctos. El pensar y comer correctamente van de la mano para conservarnos saludables.

Mientras más piensas acerca de la presencia de Dios de vida, pureza, amor, fortaleza y salud en cada fibra de tu cuerpo templo, más fuerte se tornará tu conciencia de que tu organismo es el templo de "Cristo en ti". Dios ya está en cada parte de tu ser, así que sólo es cosa de estar *consciente* de tu unidad con Él. Tus pensamientos de Verdad establecen esta conciencia.

Nos alegra escribirle a tu madre, ayudarla a verse a sí misma como Dios la ve y a hacer uso de su poder dado por Dios para renovarse y transformarse en mente y cuerpo por medio de la aplicación de la Verdad. Pero no la vamos a ayudar a que sea "vieja, vieja, vieja en años". La vamos a ayudar a que vea que los años sólo añaden a su riqueza de experiencia y desarrollo; que el cuerpo nunca envejece, de hecho, cada célula del cuerpo (si le damos la oportunidad) se renueva y es reemplazada en menos de un año. ¡Así que ninguno de nosotros tiene ni un año de edad! La única razón por la cual algunas personas parecen ser viejas, débiles e inactivas es su insistencia en tener los mismos pensamientos viejos, andar en círculos y no poder hacer uso de las cosas buenas provistas para sus necesidades. A menudo las personas forman el hábito de comer lo que no necesitan y eso recarga el sistema año tras año. Después de un tiempo el mecanismo que al principio manejaba estos recargos de alimentos se descompone, y se producen acumulaciones que comienzan a retrasar la circulación perfecta y la renovación. Entonces pueden aparecer los llamados problemas cardíacos, presión arterial alta o desórdenes intestinales. Aquellos que no comprenden comienzan a decir "se está poniendo viejo". ¡Mas es así! Simplemente está desobedeciendo las reglas de la salud.

Nuestro trabajo

Dios tiene mucho que hacer, y Él revelará Su plan a aquellos que lo buscan, y abrirá el camino del progreso y el éxito a aquellos que están dispuestos a renunciar a opiniones preconcebidas y a aferrarse a la Verdad como la revela el Espíritu Santo. Como consecuencia, la gente ha trabajado por dinero, "para vivir". Ahora la gente se va a ver forzada a darse cuenta de que el trabajo tiene el propósito de expresar las facultades, los poderes y el amoroso servicio dados por Dios de una manera que verdaderamente es beneficiosa. El esfuerzo malgastado o los planes dirigidos con ignorancia serán cosa del pasado. Cada pensamiento y cada movimiento serán inspirados de manera divina, y los resultados serán satisfactorios y permanentes.

Encontramos que no sólo debemos ser buenos sino servir para algo en este mundo en el cual vivimos. A veces caemos en un círculo vicioso y necesitamos un cambio de trabajo, pero primero debemos cambiar nuestro punto de vista.

Seguramente no es ni sabio ni de buen juicio mantenernos en una cosa que no da cabida al cambio y que no ayuda a que el alma crezca, se expanda e irradie a través del cuerpo como salud y juventud siempre en renovación. Es una tontería entregarnos tan totalmente a una línea de acción dada y descuidar nuestra conciencia, haciendo que no aprendamos cómo mantenernos sanos y fuertes y cómo manifestar las cosas necesarias para la comodidad diaria y la paz mental.

El trabajo para el cual Dios nos creó nunca exige más de lo que podemos hacer con comodidad, y Dios nunca nos obliga a descuidar el desenvolvimiento del patrón Crístico en nosotros. Cuando hacemos como Dios quisiera que hiciéramos, Él nos cuida maravillosamente, no siempre proporcionándonos provisiones y colocándolas a nuestros pies, sino mostrándonos cómo utilizar nuestros recursos de manera que los convirtamos en lo que necesitemos o podamos utilizar. El que vive la vida de Cristo atrae bendiciones de todas clases y no necesita preocuparse de asuntos financieros, aunque pensará en ellos y les prestará atención para mantener su parte de la ley.

Muchas personas pasan por un período de despertar y ajuste. Y parecen no saber adónde dirigirse. Pareciera que se les ha quitado el empleo del pasado. Ninguna oportunidad de lo que habían hecho antes surge. Muchas veces la razón para esto es que el alma ha permanecido en ciertas rutinas por mucho tiempo y, por su propio bien, necesita un cambio. No siempre lo mejor para una persona es continuar haciendo lo que le gusta hacer, aquello para lo cual se entrenó o lo que le paga más. Necesitamos refinar, desarrollar todas nuestras facultades y poderes para hacer lo que nos acerca más a la humanidad y lo que el mundo más necesita. Si no nos mantenemos en contacto con el Espíritu y no acatamos lo que nos impulsa a hacer, nuestros deseos inconscientes nos sacarán de la rutina y nos dejarán dando tumbos en las rocas, hasta que despertemos y nos aferremos a algo que encontramos que nos gusta y que nos ayuda a nosotros y a otros.

Todos los días declaramos y damos gracias de que Jesucristo le está revelando a cada necesitado la Verdad acerca de la provisión y de la expresión correcta de las facultades y los poderes que invitan a la provisión diaria a medida que se requiere. La voluntad de Dios para todos Sus hijos es que disfruten de abundancia. Y nuestro privilegio es pensar en esta Verdad, declararla y esperar su prueba en nuestras vidas. Éste es nuestro método de oración: reconocer nuestra unidad con Dios, apropiarnos de la habilidad que ésta nos da y esperar tener las cosas necesarias y que conducen al progreso espiritual.

Todos somos hijos de Dios. Pero también somos Su poder cerebral, Sus manos y Su voz. Dios expresa, por medio de nosotros, Sus ideas, Sus bendiciones y el bien no manifestado en las formas. Comprender esto nos proporciona una actitud mucho más positiva hacia el trabajo y también nos da la confianza de que podemos y tenemos mucho que hacer, y que recibiremos compensación por ello. A medida que nos damos cuenta de que estamos ayudando a Dios a manifestar Su orden y Sus bendiciones, nuestro trabajo se torna interesante y gozoso. Ya no sentimos que tenemos que hacer de más para producir tanto dinero como sea posible. Eso se lo dejamos a la ley divina para que nos dé lo que nos corresponde; y pronto vemos que mientras hacemos un trabajo mejor recibimos más satisfacción y provisión, porque existe una ley detrás de las relaciones personales entre la gente. Dios nunca envía un alma al mundo sin proveer para sus necesidades. Hasta que una persona que busca su trabajo correcto recibe la luz y siente el impulso de hacerlo, debe permanecer quieto, esperar en el Señor y ver Su salvación. Mientras tanto, en lugar de preocuparse acerca de los asuntos financieros y del dinero para pagar los gastos, debe continuar dirigiéndose a Dios y hacerle saber sus necesidades con confianza, dando gracias por la provisión.

Debe dar gracias primero por toda la sabiduría para saber lo que necesita hacer; luego dar gracias porque sus necesidades se satisfacen por medio del gran almacén del Padre. Debe bendecir, compartir y distribuir lo que tiene; y dar gracias y saber que recibirá más a medida que lo necesite.

—∾—

Existe una provisión inagotable y somos los amados hijos de Dios para quienes Él siempre provee y a quienes les ha dado Su vida, sabiduría, poder y sustancia, la habilidad innata de hacer lo que se necesite para traer a nuestras almas al patrón crístico de vida y servicio a los demás.

Para prosperar verdaderamente en su trabajo la persona debe tener su mente llena de ideas reales de prosperidad en la relación correcta. Debe ver si está haciendo o no lo que desea hacer y debe saber por intuición divina que está ayudando a desarrollar y refinar su conciencia y mantener su cuerpo fuerte y radiante. También debe ver si está sirviendo o no a los demás lo mejor que puede, y si está pensando y sintiendo hacia ellos lo que promueve lo mejor y lo que es justo para con ella también. Determinar estas cosas requiere discernimiento espiritual, el desarrollo balanceado y el uso de todas las facultades de la mente. Existen aquellos que logran una conciencia de prosperidad bastante buena sin estar conscientes de la ciencia de la Verdad. Pero encontramos que todo el mundo encuentra su lugar correcto al desarrollar una conciencia de salud y prosperidad por medio de la aplicación y la práctica diarias de la Verdad.

Mantenernos empleados no es el problema que parece ser. Una vez que comprendemos el verdadero propósito de la vida y del servicio, no necesitamos mantenernos ocupados todo el día haciendo cosas en las cuales no estamos verdaderamente interesados, y para personas que no tienen interés en nosotros. Desde que nacemos se nos ha mostrado el trabajo como el medio para ganar el sustento. Se nos ha impresionado con la idea de que debíamos estar empleados constantemente y que debíamos tratar de aumentar nuestro poder de ganancia.

Bueno, ahora estamos viendo este asunto bajo una nueva luz. El trabajo es para la autoexpresión, el desarrollo de las facultades y los poderes dados por Dios y para ayudar a los que están en nuestro alrededor. Nuestra vida y nuestro sustento son dones de Dios y son libres para que nos los apropiemos, cuando comprendamos cómo proceder, por supuesto.

En el presente encontramos muy útil y conveniente tener algún arreglo definitivo según el cual servimos a otros y mantenemos los canales de la provisión abiertos. Si esperamos utilizar aquellas cosas y conveniencias que requieren el esfuerzo de otros, debemos dar de nuestras propias habilidades en algún tipo de servicio a cambio.

Muchas de las cosas importantes y necesarias en la vida son dones gratuitos de Dios, y podemos utilizarlos constantemente sin pensar que tenemos que dar nada a cambio: el aire que respiramos, la luz del sol, la belleza de la naturaleza, los espacios abiertos para recreación, descanso e inspiración. Por estos dones debemos estar agradecidos a Dios, y debemos apreciarlos lo suficiente para utilizarlos de la mejor manera para que podamos demostrar más perfectamente Su plan en nosotros.

Nuestros métodos

Nos alegra que ores con nosotros por guía divina, comprensión y rectitud en todo lo que hacemos. No queremos que la ambición personal se filtre en nuestro trabajo o que nos retrase en hacer lo que creemos que el Padre hubiera querido que hiciéramos. Mas no siempre podemos depender de las opiniones y deseos personales de nuestros estudiantes para guiarnos correctamente al manejar los asuntos de Unity School. Hay asuntos de importancia universal por considerar; y creemos que este grupo que se ha unido en un espíritu de amor y deseo de servir, es el más capaz de ver, decidir y hacer lo que constituye el bien mayor y último de todos los interesados. La consagración a la Verdad es una fase necesaria del desarrollo espiritual. La habilidad de hacer uso práctico de la ley es otra fase necesaria del desarrollo. En los tiempos bíblicos, Ezra hizo que su pueblo se arrepintiera y se dirigiera a Dios. Pero él no era el hombre de negocios práctico ni el líder que podía hacerlos reconstruir su ciudad, Jerusalén. Nehemías sabía cómo dirigir a los hombres y cómo hacer que se reunieran y utilizaran sus fondos para su mayor ventaja; él fue quien hizo que los israelitas reconstruyeran Jerusalén.

En Unity nos esforzamos por en estar consagrados a la Verdad y ser prácticos al manejar todos los asuntos que requieren nuestra atención, así como en la utilización de todos los fondos que vienen a nosotros provenientes de ofrendas de amor. Oramos diariamente por guía, por el uso verdadero y desinteresado de todo lo que se nos da. Agradecemos las oraciones, la cooperación y las cartas de consejo que ofrecen nuestros colegas estudiantes. Estamos dispuestos a desechar aquellos esfuerzos que no den la talla al patrón de rectitud y a reducirlos a cero. La filiación en Cristo es la meta y el establecimiento del reino de los cielos en la tierra es nuestro objetivo. Si en nuestra inmadurez cometemos errores, la ley lo revelará, y el amor del Padre perdonará (dará, por los errores, una comprensión mejor de las cosas necesarias) y nos guiará de mejor manera. No buscamos ni el mal ni el castigo. Estamos empeñados en ver el Cristo en toda la humanidad, y llamar la atención y promover el desarrollo del Cristo en todos los que sean receptivos. Estamos seguros de que la Mente Crística en nosotros está trabajando en nuestra conciencia para expulsar todo lo que no dé la talla.

Tu frecuente clamor por ayuda personal en tus cartas implica una falta de fe en Dios y en nosotros y tiende a romper la conciencia espiritual que te estamos ayudando a establecer. El secreto de nuestro poder para ayudar a otros consiste en nuestra negación a que nos conmuevan las apariencias y la aparente escasez de la que se nos informa, y en el aferrarnos a la Verdad del ser y al declarar el éxito de los pensamientos y palabras constructivos que hemos decretado, en las cuales pedimos que cooperen los que se identifican con nosotros. No importa lo que nos cuentes referente a la escasez, el fracaso o la enfermedad, no lo creemos, y no permitimos que invada nuestras mentes y corazones. Si lo hiciéramos, nos tornaríamos impotentes para ayudarte. Si aceptamos y moramos en todos los problemas que los que amamos creen que tienen —y quieren echárnoslos encima— pronto pensaríamos que el mundo está lleno de tales cosas y que Dios es incapaz de llevar a cabo Su plan de vida. Así que simplemente continuamos declarando que las cosas que escribes no son ciertas, y continuaremos esto hasta que tú también creas que no son ciertas, dejes de poner tu pensamiento en ellas y abras tu mente, tu corazón y tus ojos a la Presencia gloriosa en la cual vives y que está buscando expresión perfecta por medio de ti.

No prometemos hacer una oración de palabra y que haga un milagro en otra persona. Nuestro trabajo es llamar la atención a la verdadera manera de vivir y de inspirar a otros a querer vivir de esa manera verdadera. Nuestras oraciones tienen el propósito de darles ánimo a aquellos que se están esforzando por asirse a la Verdad y ponerla a prueba.

Vivir y estar saludable es mucho más que hacer tus oraciones y leer buenos libros. Debemos observar cada uno de nuestros intereses, inclinaciones, reacciones y deseos en relación con la verdadera sabiduría, vida, sustancia, el verdadero amor y poder de Cristo. Entonces, el verdadero maestro y sanador, es el que no sólo tiene fe en Dios sino que comprende y aplica de manera práctica las verdades que iluminan y sanan. Sanar a una persona es librarla de los errores que causaron su necesidad de curación y presentarle las palabras útiles y las proposiciones amorosas que le permiten ser feliz, estar satisfecho y deseoso de aplicar la Verdad.

¡No siempre sabemos cómo se ven nuestros esfuerzos en ayudar a otros hasta que estamos más o menos en la misma situación y estamos recibiendo la misma consideración y nos ayudamos a nosotros mismos! Supongo que es bueno que tengamos estas diferentes posiciones ventajosas; de otro modo, ¿cómo podríamos llegar al verdadero camino crístico de hacer uso del bien del Padre y de ayudar a otros? Pensamos que es maravilloso poder dar una mano financieramente, o hasta restaurar la salud. Mas debemos tener presente que lo ideal es irradiar tal conciencia de la omnipresencia de Dios que llevemos a otros a una comprensión de la salud, habilidad, provisión y el orden del reino sin nada más de nosotros que el simple hecho de *ser* la expresión de las ideas crísticas. Entonces ninguno de nosotros se molestará en tener más provisión de la necesaria. Habrá abundancia para todos. ¡Y la meta individual será la ocupación que más valga la pena y la autoexpresión!

¡Estamos llegando a ese punto rápidamente, alabada sea la luz que es para todos nosotros!

Mi trabajo diario es bendecir a aquellos que están buscando un modo de vida más abundante y tender la mano para que otros puedan colocar en ella el mensaje que el corazón de la persona está escribiendo realmente a Dios.

Recuerdas la inspiración espiritual que tenía Pablo, y esta inspiración también es nuestra al reclamar la luz, el poder y el amor que son la expresión de Dios a través de nosotros:

"Y si el Espíritu de aquel que levantó de los muertos a Jesús está en vosotros, el que levantó de los muertos a

Cristo Jesús vivificará también vuestros cuerpos mortales por su Espíritu que está en vosotros" (Rom. 8:11).

No son los individuos en Unity los que avivan y sanan. No es el deseo humano del corazón del individuo lo que hace que la vida fluya a través de su organismo más libremente. No es lo que generalmente consideramos como cristianismo lo que nos lleva a las corrientes de la vida crística que avivan y sanan. Es el despertar en nosotros del mismo Espíritu de Cristo que estaba y está en Jesucristo —el Espíritu de Dios— erguido como la expresión de ideas divinas de la mente del Ser. Realmente la voluntad del alma es vivir diariamente, en pensamientos y acciones, el Espíritu de Cristo, ese mismo Espíritu que hizo que Jesús se olvidara de Sí mismo para hacer el bien y la voluntad perfecta de Su Padre. Él adoró al Padre, y trató constantemente de glorificarlo al hacer las cosas de Su Espíritu manifiesto en las vidas de Sus hijos. Jesús estaba descubriendo ávidamente el propósito verdadero de la vida y llevándolo a cabo, no sólo para Sí mismo, sino para todos nosotros. Él dijo: "Yo soy la luz del mundo" (Jn. 8:12). "Vosotros sois la luz del mundo" (Mt. 5:14).

No le conferimos títulos a nadie, ni los usamos, ni tomamos en consideración los que las otras personas usen. Nos sentimos privilegiados de utilizar el título "Reverendo" si lo deseamos.

Explicamos en nuestra literatura y desde la plataforma que el verdadero bautismo es el bautismo del Espíritu Santo. Ninguna persona o grupo puede dar este bautismo espiritual —es un asunto entre el alma individual y la fuente divina de toda luz, vida, poder y amor. Cuando la persona es bautizada por el Espíritu Santo, la persona lo sabe, y el poder de lo alto se siente y se expresa, y los demás lo ven.

Cuando lees acerca de los que están utilizando títulos tales como "Reverendo" o "Doctor", o cuando un centro exige un título semejante de un conferencista invitado a su plataforma, es bueno que sepas que la visión espiritual te permitirá ver más allá de aquellas señales externas y discernir el verdadero carácter y habilidad del líder o ministro.

Nuestros mejores líderes y trabajadores de Unity no hacen uso de trivialidades. Son sus conciencias lo que atrae a ellos estudiantes que son de ayuda y no sus nombres ni la cantidad de libros que han leído o que se han aprendido. A aquellos que aprueban satisfactoriamente los exámenes del curso de correspondencia* de Unity se les otorgan certificados. Quienes completan este curso y dan pruebas adicionales de que son capaces de servir como ministros en la plataforma, el salón de clase, en el cuarto de curación y aquellos que han demostrado que confían en la ley divina de Dios de dar y recibir, la ley de la prosperidad por su éxito y apoyo —aquellos en quienes tenemos fe y aquellos a quienes sentimos que son trabajadores fieles de Unity— pueden ser ordenados por nosotros. Pero después de su ordenación esperamos que se las arreglen por sí solos y edifiquen su propio trabajo.

Aquellos que conocen el verdadero propósito de este trabajo no están preocupados por títulos o posiciones. Están interesados en expresar el Espíritu de Cristo.

* Nota del editor: el curso por correspondencia ya no está disponible.

Transición

Sabemos que la Verdad te abrirá los ojos espirituales y ampliará tu comprensión. Te darás cuenta de que lo que pareció ser una pérdida en un momento dado ya no lo ves así. Aprenderás que aquellos que van por el cambio llamado muerte están pasando por una transición. El alma renuncia al cuerpo templo, el cual por una u otra razón no puede expresar o manifestar salud. Tu ser querido no se ha ido. Está morando en el corazón del Padre, y has aprendido que el Padre es omnipresente. Así que todos Sus hijos están exactamente donde sus conciencias los llevan y los mantienen; bien sea que estén funcionando en lo físico o que temporalmente hayan dejado a un lado su cuerpo de carne.

Te ayudará saber que el alma continúa reencarnando como niños hasta que llega a la conciencia crística y tiene perfecto dominio sobre la mente, el cuerpo y los asuntos. Tu ser querido puede que ya haya construido un cuerpo templo en el cual aprender más lecciones para desarrollar las cualidades de Dios.

Al comprender la ley de la vida y venir a la luz de la Verdad, renunciamos a muchos de nuestros conceptos de Dios, de nosotros mismos y de la vida aquí y en el "más allá". Encontramos que la unidad y el amor espiritual son eternos. Dejamos de afligirnos cuando un ser querido se ha ido de nuestro sentido de la vista y de nuestros alrededores humanos. Entramos en el lugar interno de luz y paz, y sabemos que el Padre está ayudando a que aquel haga lo que su alma requiere —así como Él siempre nos está ayudando.

El oír la voz de tu ser querido en la noche puede haber sido el resultado de un anhelo subconsciente por saber que está cerca. O puede haber sido el deseo de su alma y el esfuerzo de llegar a tu conciencia y consolarte. El alma es conciencia, y aquellos que están despiertos espiritualmente pueden dirigir su pensamiento y llegar a aquellos que son cercanos a ellos. Sus pensamientos de amor te podrían alcanzar durante la quietud de tu intelecto y tus facultades podrían registrar los pensamientos e informárselos al intelecto; y sientes que realmente has oído la voz. Esto te hará saber que el oír es mental y que los oídos no son sino instrumentos para atrapar e irradiar las cosas oídas en varias partes de la conciencia del cuerpo.

No era necesario que contestaras. Tu ser querido sintió tu respuesta. No es recomendable aferrarse a aquellos que se han ido del cuerpo. Tiende a atarlos a experiencias pasadas y posiblemente demora que se dirijan al Padre para guía divina y mayor progreso.

Vivir en los recuerdos no es llevar a cabo el plan de Dios para tu vida. Dios es vida en ti, buscando ávidamente unidad con otra vida, anhelando manifestar la salud, el gozo, la fortaleza y la utilidad que hay en toda vida de Dios. Dios es amor que debe convertirse en amar —amar las cosas del presente, las que se refieren a ti, los pensamientos, palabras y obras que añaden a la riqueza, la paz y la belleza del mundo hoy en día.

Bien amado, te impresionaría si te dijera que aquellos que has conocido como amigos en el pasado —y que no pudieron comprender y cumplir la ley divina de la vida de manera que pudieran quedarse en el cuerpo y llevar a cabo la armonía divina de Su reino en el tiempo que los conociste en la carne— ¡no están interesados en lo más mínimo en mantener los antiguos vínculos ni las amistades! Sin duda están despiertos al hecho de que les faltó mucho en el sentido de luz, poder y vida, y seguramente están mucho más interesados en llegar a la Verdad vital y a su aplicación, para no quedarse cortos de nuevo y estar obligados a cambiar su medio ambiente y reconstruir un cuerpo templo para futura expresión. Estas almas que experimentan la transición llamada muerte no tienen tendencia a cristalizarse en el pasado como algunos de nosotros lo hacemos, mirando hacia el pasado para mantener nuestro interés y nuestra felicidad. Deben haber encontrado necesario despertarse, asirse a ideas nuevas y hacer nuevas amistades, para recibir inspiración y ayuda.

Así que bendice el pasado y las viejas amistades, y aléjate de ellas, sabiendo que no son lo vital ahora. Todo lo que otra persona ha significado para ti ha dejado su marca en tu alma para que te beneficies de ella diariamente. Y esto es único de valor para ti.

No hay razón para suponer que un alma fuera del cuerpo físico no esté consciente de lo que sucede a su alrededor. Por lo menos, como el alma es conciencia, es razonable asumir que está consciente de todo lo que le interesa y lo con lo cual desea identificarse.

El que ha estado despierto y activo espiritualmente en alma y cuerpo no es probable que se duerma, aunque el cuerpo se rindiera por alguna razón. Tal ser estará alerta para satisfacer el anhelo de su alma y apreciar todo lo que podría experimentar sin la carne y los centros de estructura física que ha construido su conciencia.

Es una pena que un ser amado pase por la experiencia de la muerte. Pero demostramos gran amor por nuestro ser querido al no aferrarnos al dolor y dirigir nuestra atención completamente a aprender cómo vivir mejor según la ley divina, y cómo ayudar a otros a evitar la experiencia de la muerte. A tu hijo no le gustaría que te aferraras a él en pensamiento; ni desearía que vinieras hacia él por medio de la muerte. Él es un alma espléndida, y le gustaría que aprendieras la Verdad y la vivieras aquí y ahora.

En lugar de pensar en ir hacia él, fuera del cuerpo, comienza a alegrarte de que está viniendo al cuerpo de nuevo, de las maneras espléndidas que tienen las almas para entrar en lo físico —como un bebé. La única manera por la cual estaremos eternamente unidos con nuestros seres queridos es arribar a la conciencia que Jesucristo tenía de la vida. Aprende a acatar la ley divina de la vida, la cual implica la renovación y la transformación del cuerpo físico, para que el espíritu, el alma y el cuerpo puedan permanecer unidos y la autoexpresión justa en las tres facetas pueda continuar.

Estamos contigo constantemente, para ayudarte a que te des cuenta de que todo está bien. Tu ser amado no sabía cómo dejar ir las limitaciones que tenía en su mente, ni cómo renovar y construir su cuerpo. Así que para ella es un descanso, y una oportunidad para dejar a un lado el cuerpo y romper la conexión consciente con las cosas que suceden a su alrededor, hasta que la motivación divina en ella la incite a construir el cuerpo templo y tomar clases aquí en lo físico.

Si tu madre se hubiera ido de vacaciones y supieras que está en buenas manos, ni te afligirías ni te preocuparías, ¿verdad? Bueno, eso es exactamente lo que ha pasado. Ella está descansando del sufrimiento y de los problemas que no sabía cómo enfrentar. Está en la presencia de Dios, al igual que tú; y la mejor manera de demostrar amor por ella es dejar ir todo anhelo humano y sentimiento de pérdida, para que esta alma que te recibió como bebé y quien te ha cuidado pueda descansar con la seguridad de que todo está bien contigo. Tu madre simplemente se ha ido a otro salón de clase de la vida, donde el Padre-Madre divino es el maestro.

Maternidad

Verdaderamente es un privilegio bendito prepararse para la llegada a lo físico de un alma que viene a morar entre nosotros para desarrollar más de la conciencia de filiación. Los padres que invitan a un alma a este plano de conciencia, y quienes se consagran a hacer lo máximo para mantenerse en buena salud y proveer un ambiente de paz, gozo, pureza y prosperidad, realmente son bendecidos e iniciados en algo muy parecido al cielo.

Hay tanto que es sagrado, dulce y útil al prepararse para la llegada de un bebé. Hay una comunión de alma que te eleva, te lleva por caminos nuevos y te mantiene en lo mejor de ti.

Encontrarás esta experiencia invaluable al ayudar a tus otros hijos a ver la realidad de la vida y a aprender a expresar amor y desinterés. ¡Para ellos será la cosa más maravillosa oír de ti que vas a tener un bebé para amarlo, cuidarlo y educarlo! Déjales que sientan un interés personal en la llegada del bebé y en todos los preparativos. Será una oportunidad espléndida para darles las lecciones de fisiología que necesitan acerca del cuidado del cuerpo y de las relaciones entre hombres y mujeres.

Deja que tu alma glorifique al Señor, como lo hizo la madre de Jesús. No hay sino una Presencia y un Poder, Dios, el bien. Dios es el Padre de todos, y como tú estás llena de fe y buscando a Dios para que te ayude en toda necesidad, Dios está preparando el camino para que tu hijo nazca con facilidad, gozo y con perfecta seguridad. El amor de Dios te rodea, te envuelve y te protege, y todo está bien.

Descansa y libera de tensión todo músculo de tu cuerpo. Debajo de ti están los brazos eternos para sostenerte, fortalecerte y apoyarte para que puedas relajarte y descansar en la seguridad de que te están protegiendo, fortaleciendo y que se está abriendo el camino para un parto seguro.

La vida revitalizadora del Espíritu te llena hasta rebosar con toda la fortaleza, el vigor y la vitalidad que necesitas para sostenerte. En Su presencia hay abundancia de gozo.

En "tu unidad con Dios todo está y estará en orden divino", y todo está bien.

Tú y el pequeñín que está debajo de tu corazón están muy unidos y son muy amados por el Padre, y como te diriges a Él con fe en oración, has abierto el camino para que tu bebé venga al hermoso mundo de Dios de manera armoniosa.

Dios es el Padre de tu niño, tú sabes eso; así que puedes confiar en Dios para que lo cuide como propio y le prepare el camino para que venga a este mundo con protección perfecta y para ti también.

Que tu alma glorifique al Señor como lo hizo María la madre de Jesús, y que tu alma se regocije en Dios.

"Dios es amor", y el amor divino te armoniza, te fortalece, te envuelve, te sana y te protege. Dios en ti es una torre de fortaleza y estabilidad. Dios es la salud de Su gente, y Él es tu fortaleza y tu salud.

Que tu corazón se regocije porque Padre-Madre divino te está dando a uno de Sus pequeños para que lo cuides, en quien puedes derramar tu amor, dirigir sabiamente y darle ánimo en el desarrollo de todas las facultades y talentos que tiene cada alma y está ansiosa de utilizar. Alaba tu cuerpo espléndido por su maravillosa construcción y por su trabajo perfecto en prestarse a las necesidades de esta otra alma. Ten la seguridad de que el Creador que ha planeado tal mente y cuerpo siempre está trabajando para manifestar Su creación.

Por cada alma que viene a lo físico el Padre-Madre suministra abundante provisión para todo lo que se requiera. Esto proporciona una seguridad gozosa de que todo está bien y que otro miembro de la familia traerá su propia prosperidad consigo. El amor divino siempre encontrará maneras de aumentar la capacidad de ganar dinero, el fluir de la provisión, la felicidad para utilizar lo que llegue. La sabiduría divina será la guía para que todas las cosas trabajen juntas para el bien de todos.

Así que en vez de pensar en el bebé que está en camino como un gasto adicional, piensa en él como una bendición y un portador de prosperidad. En lugar de pensar en los días de cuidado constante, piensa en las lecciones gozosas que te enseñará y de las contribuciones individuales a la felicidad de la familia. ¡Cada alma a la cual se le da la bienvenida al mundo trae sus propias bendiciones y regalos individuales al mundo!

El estómago, o la parte del plexo solar que está conectada directamente con el estómago, es el centro de la sustancia, y es aquí que la facultad mental, o juicio, tiene su centro de acción. Directamente debajo del centro de la sustancia, en el ombligo, está el centro del orden. Los pensamientos, sentimientos y hábitos que tienen que ver con el mantener nuestra mente, nuestro cuerpo y nuestros asuntos en orden se registran aquí en la parte baja del plexo solar y del ombligo.

El orden perfecto de la ley de la vida se establece en ti gracias a que permites que las ideas creativas de vida, amor, sustancia e inteligencia dirijan tus pensamientos y las funciones de tu cuerpo. La sustancia omnipresente de Dios es apropiada y está impresa con los patrones perfectos (para tu propio sustento y para la formación y sustento del cuerpo templo nuevo cuya alma mora ahora en ti), al mantener tu mente y corazón confiados de que Dios se encarga de ti y de los tuyos, y que el Espíritu sabe cómo preparar las manifestaciones a través de ti de lo que es mejor, y para el fluir de todas las cosas necesarias.

Declaramos que el Espíritu Santo, proyectando Su sombra protectora sobre ti, trabajando en ti, ahora te libera de todas las impresiones de experiencias pasadas y te da una comprensión nueva de vida y sustancia, y establece en ti un orden nuevo, aviva un juicio nuevo, te inunda con una luz nueva que te dirige en caminos de paz, salud y felicidad.

Este bebé tan querido trae todo lo que necesita de la gran tienda del Padre. Las manifestaciones vendrán a medida que se presente la necesidad, y tanto como tú y el papito querido, y todos los que el Padre pueda dirigir, sean fieles a lo que Él querría que hicieran a la luz de la comprensión espiritual y del servicio amoroso.

Los padres no están más que representando al Padre-Madre divino al recibir y cuidar por estos templos nuevos que las almas están construyendo para su experiencia y mayor desarrollo de sus poderes y facultades dados por Dios. El recordar esto elimina el sentimiento de ansiedad y carga y proporciona una gran paz y un gran gozo y una conciencia de amor y prosperidad.

Cuando las actitudes negativas de la mente y el corazón causan depresión y falta de armonía física y un sentimiento de escasez y preocupación, una hora tranquila de estudio y oración inundará tu alma con una luz y una paz completamente nuevas. Comenzarás a relajarte y a permitir que la vida abundante y el amor maravilloso de Dios fluyan libremente a través de ti, restaurando el orden y la salud. También verás tus asuntos bajo una luz diferente, y la seguridad interna de que Dios está proveyendo, dirigiendo y avivando de dará gran paz. También tendrás la oportunidad de invitar y usar los recursos que Dios te ha dado. Porque en verdad Dios provee para ti, y tus bendiciones no dependen de otros. Tú puedes utilizar tus facultades y poderes y hacer surgir aquello que es requerido —y serás beneficiada al llevar a cabo una vida con propósito.

Ahora mismo, especialmente, no desearás estar nerviosa o ansiosa acerca del futuro. Tú quieres que tanto tu cuerpo como tu mente estén calmados y felices, de manera que irradies sólo lo mejor y de más ayuda al bebé en ti. Tu actitud está dando cualidades al alma de tu bebé.

Decide que vas a vivir en un mundo creado por ti, donde disfrutas de belleza, paz, felicidad, salud y de los placeres sencillos. Pensar en la carencia, o en un posible error, o en que tu pareja no va a hacer lo suyo de un modo espléndido, es enviar corrientes irritantes a los nervios y malgastar nuestra energía, e impactar la eterna sustancia de Dios con la apariencia de carencia o falta de armonía. Y tú no deseas eso. Tú quieres el efecto que produce el tener fe en Dios. Mantén tu comunión e identifícate con los elementos divinos del ser de tu Padre-Madre. Ya que realmente representas a Dios, Padre-Madre, al prepararte para nutrir, recibir y ayudar a esta alma que se encuentra en ti. Dios te da la calma y la sabiduría, así como el amor y la sustancia, necesarias para cumplir con todo lo que se requiere de ti. Tu parte es creer en ello, confiar y mantenerte ocupada con las cosas que has de hacer, sin ansiedad o preocupación por lo que los demás estén haciendo. Confía en que Dios alentará a que los demás hagan su parte. Alaba las cualidades divinas en tu esposo; y espera que él las exprese de maneras prácticas.

Sí, es mucha responsabilidad. Mas, al cumplir con esta responsabilidad, sentirás gran satisfacción. Te dará gusto ser justa y cuidar del alma que has invitado, ofrecerle un hogar donde su alma pueda crecer y desarrollar sus poderes espirituales, así como también su templo físico.

No se requiere una gran cantidad de dinero. Lo que cuenta es que el dinero llegue por tus esfuerzos y los de tu esposo.

La posición social no significa nada para el alma por llegar —ella sólo pide que se le dé la oportunidad de ser ella misma. Unos padres felices, en paz, sabios y prácticos son lo único que cuenta. Y tendrás todo ello para ofrecerle a tu bebé si te propones a hacerlo.

A los maestros de la Verdad

Jesús dijo: "Os he puesto para que llevéis fruto, y vuestro fruto permanezca; para que todo lo que pidáis al Padre en mi nombre, él os lo dé" (Jn. 15:16).

Cuando esperamos la ayuda de Dios en nuestra expresión y prosperidad, debemos venir como hijos —en la conciencia de hijos. Debemos ver que el trabajo que hacemos es el trabajo del Padre y el tipo más alto de servicio para el cual somos capaces. Cuando sabemos que esto es verdad, no estamos ansiosos ni preocupados por los resultados. Estamos interesados en llevar a cabo las instrucciones del Padre y en hacer lo mejor para todas las personas involucradas.

Mas, por supuesto que también podríamos entregarnos por completo, nuestros poderes y facultades dados por Dios, a esfuerzos personales y lograr los resultados deseados. Pero a menos que trabajemos en perfecta armonía con lo Infinito y hagamos lo que es lo mejor para nosotros y lo que satisface de la mejor manera las necesidades más altas de nuestra alma, no estaremos completamente satisfechos aunque obtengamos lo que nos propusimos.

Recuerda que debemos orar en el nombre de Jesucristo, lo cual quiere decir con el mismo deseo formal de glorificar a Dios en nuestra vida, deseo que siempre llenó la mente y el corazón de Jesús. Debemos pedirle al Padre comprendiendo nuestra unidad con Él y estando conscientes de que somos Sus hijos.

Jesús dice que si lo amamos, guardaremos Sus mandamientos. ¿Recuerdas cuáles son? "Y amarás al Señor tu Dios con todo tu corazón, con toda tu alma, con toda tu mente y con todas tus fuerzas" (Mr. 12:30). "Amarás a tu prójimo como a ti mismo"(Mr. 12:31).

Al Señor Dios morador es al que tenemos que serle devotos —a quien amar, con quien unificarnos, a quien obedecer. Nuestro ser espiritual debe tener nuestra atención, amor, cuidado y consideración. Si estamos descuidando nuestro desarrollo espiritual, nuestra propia salud, no estamos guardando su primer y más grande mandamiento. Y si no lo estamos haciendo, no podemos guardar el segundo.

Así que antes de que verdaderamente podamos orar como Jesús dijo que debíamos hacerlo y, como respuesta, el Padre nos dé lo que pidamos, debemos aprender a amar a nuestro propio ser espiritual y a hacer lo que es mejor para nosotros —y para todos los demás.

Cuando el corazón, la mente y el cuerpo están llenos de la conciencia del amor de Dios y de nuestro prójimo, prosperamos. Aquello que nos sentimos impulsados a hacer se logra. No tenemos miedo y somos felices porque sabemos que estamos haciendo nuestra parte para establecer y mantener el reino de Dios en la tierra.

Mientras más estás en el plano del alma, donde la actividad de las fuerzas síquicas te impresiona con las fases negativas del desarrollo de la humanidad, sientes el peso del infortunio y tiendes a preocuparte, apenarte y resentir lo que parece injusto, desigual y cruel. Pero a medida que te elevas a la conciencia crística y ves como Dios ve, tu visión se ampliará. Verás más allá de las apariencias y comenzarás a comprender el verdadero estado de los asuntos y a discernir lo que le está sucediendo a la gente. Serás justo y diligente para ayudar a la gente, pero ya no te permitirás ver avaricia ni la opresión de algunas personas por otras (injusticia). Comprenderás que lo que está sucediendo es un proceso de crecimiento y bendecirás este crecimiento y verás a la gente tornándose más crística.

Puede ser, mi amigo bendecido, que has estado exigiéndole demasiado a ese cuerpo tuyo dando más de lo que te has tomado el tiempo de recibir. Ese ser físico en nosotros es un siervo dispuesto y obediente y hace lo que le digamos que haga, pero no debemos ser un capataz exigente y tratar de llevarlo más allá de lo que ha desarrollado la capacidad de soportar. En mi propia experiencia encuentro que siempre es mejor escuchar y obedecer cuando recibo la insinuación de tomar las cosas con más calma. A veces, cuando no tomo en cuenta la insinuación, también he recibido el golpe.

Recuerda que tu corazón tiene y siempre tendrá la razón con Dios. Es el trono del amor, y "Dios es amor". Eres eternamente uno con tu fuente y Creador, así que solamente es cosa de aquietarte, calmado y sereno, apartar tus pensamientos de todas las actividades externas, y abrir el camino para el fluir poderoso y abundante del Espíritu que revitaliza, da vigor, edifica y renueva cada "lugar" de tu mente, corazón, alma y cuerpo.

Tu Creador siempre está trabajando, y por medio de nuestras oraciones unidas a Cristo, la Palabra viviente, se manifiesta lo que ya es una parte establecida de tu ser —la perfección física.

Ilimitados, como lo es el Proveedor infinito, son nuestros recursos. Sin embargo, para poder recibir debemos aquietar la parte mortal inquieta; luego nuestro aliento debe ser profundo y completo para que nuestro organismo esté relajado y receptivo. Estás descansado y no hay fuerza apremiante que te apure a acción externa. "Envió su palabra y los sanó." ¡Dios te bendice!

Quizás no hiciste la conexión completa cuando comenzaste el nuevo trabajo y ésa es la razón por la cual tu cuerpo no parece dar la talla con lo que necesitas llevar a cabo. Tenemos que hacer nuestra conexión completa, espíritu, alma, cuerpo, la perfección —la santidad yace en llegar a unirlas todas en armonía. Pero nos olvidamos de esto y de vernos conectados, y completamente uno, con el fluir todo proveedor de la vida, la sustancia, el poder, el amor y la luz. Tenemos que apropiarnos del concepto de Dios como eterno, Principio activo, sustancia todo proveedora, no como algo que viene y va y se agota. Las cosas que observamos se agotan, pero tenemos que regresar a la conciencia moradora de Jesucristo —el mismo ayer, hoy y por siempre. Y ¿qué significa esto? La provisión de Dios siempre es la misma. Y cuando un hijo de Dios se apropia y utiliza a Dios, bueno, se convierte en todo lo que el Padre planeó y hace todo lo que es la voluntad del Padre.

Ahora bien, mi querido amigo, estás tomando de esta sustancia todoproveedora. Te veo capaz de continuar con fortaleza, sabiduría, poder y gozo. Doy testimonio de tu alma satisfecha y bendecida en Dios. Las aguas de vida siempre están fluyendo del trono de Dios en tu corazón, el lugar de autoridad desde el cual envías tus mandatos.

Yo misma encuentro que quiero mantener la organización externa. Tengo que estar apropiando y transmutando para llegar a lo verdadero.

Debemos conocer la química del cuerpo: debemos encontrar al hombre íntegro físicamente. Tenemos necesidad de este hombre externo y tenemos que hacer la mezcla que lo lleva al desarrollo completo.

Querido, tú y yo nos damos cuenta de que la provisión está en el Uno, de que el Uno nunca se queda corto de provisión. Cuando aceptemos el concepto de esto y se convierta en un hábito para nosotros el apropiarnos y aplicar esta conciencia como lo hacemos con el aire que siempre está listo para nuestro uso, seremos unos con la fuente omnipresente de la provisión de Dios y no tendremos escasez de ninguna clase.

Dios en ti es una torre de fortaleza y estabilidad. Estás lleno de la fuerza, el vigor, la vitalidad y la energía incansable de "Cristo en ti", y eres renovado cada momento del día.

Puede ser, querido amigo, que has estado tratando demasiado de manera personal y no has tomado tiempo para relajarte, dejar ir y darte cuenta de que "el Padre está en mí y yo en el Padre". A veces nuestra atención está tan fija en las cosas que estamos tratando de hacer que nos olvidamos de unificarnos conscientemente con la fuente de nuestro ser.

Eres el ejecutivo de tu Señor morador, y a cada instante obtienes de Él la sabiduría, vida, energía, fortaleza, el poder y la sustancia para satisfacer la necesidad más apremiante en ese momento. En la misma medida en que tu conciencia se convierte en una con la Suya, te das cuenta de que no es por poder ni fuerza personal sino por el Espíritu del Señor que se logran todas las cosas.

Cuando oras por otro, tu palabra de Verdad aviva, despierta y mueve a la acción al Espíritu morador individual, así que no necesitas perder nada de tu fuerza vital cuando te das cuenta de que la palabra hace el trabajo. En esta comprensión tus pacientes no se sirven de tu energía.

Estás desarrollando tus recursos internos del Espíritu y avivándote más por medio de la resurrección de nuevos poderes día a día. Los poderes que estás desarrollando son tu seguridad de prosperidad y éxito en lo externo ya que las demostraciones de vida y prosperidad van de la mano.

Me uno a ti pensando en Dios y dando gracias porque hay una sola Presencia y un solo Poder en ti, a través de ti y presente en tu reunión el domingo por la tarde. Mantén constantemente en tu mente que no eres un ente limitado frente a una multitud ansiosa. Por el contrario; Dios está allí expresando ideas divinas, manifestando Sus bendiciones por medio de Sus hijos creados a su imagen y semejanza. En lugar de mirar lo externo y ver la evidencia de los sentidos, o de escuchar las quejas, infortunios o mortificaciones de aquellos reunidos para ser testigos de la Verdad, fija tu atención completamente en Dios, el bien.

Sé exactamente cómo te sientes acerca de querer caminar conmigo, tomar mi mano, que te abrace con un abrazo que dé paz y valor, unirte en un canto de regocijo por el bien ilimitado. ¡Pero ese sentimiento no es todo lo que parece! ¡Lo que quieres no es estar cerca de mí; sino de tu propio Señor: quieres ser conscientemente uno con El que para ti representa un adelanto sobre lo que ya has comprendido! ¡Y el anhelo es la oración de tu corazón! ¡Qué glorioso!

Estás demasiado inclinado a lo mental. El agotamiento de tu experiencia cuando les hablas a los demás o cuando los ayudas se debe a tu sensibilidad mental —tu habilidad de detectar necesidades y de proveer mentalmente, de tu propio almacén, lo que a los demás les falta. Mas, debes superar esta fase de desarrollo, apartarte de esta manera de ayudar a los demás. La conciencia de Jesucristo de vida te da el equilibrio espiritual y la habilidad para ver más allá de las condiciones aparentes que los demás están atravesando. Te da poder de estimularlos y llamar a expresión sus habilidades dadas por Dios para satisfacer sus necesidades.

Jesucristo ve como Dios ve. Él ve la perfección de la gente; Él nos sostiene en nuestra perfección. El sostenernos allí y llevarnos a la perfección de Sí mismo de ninguna manera agota Su conciencia o destruye Su cuerpo. Hubo una época en Su desarrollo cuando Jesús experimentó tal actividad mental y tal agotamiento. En tales oportunidades Él se retiró de las multitudes por un rato, para regresar a Su conciencia de unidad con Dios y a los recursos universales e inagotables del Espíritu. Cuando sanó a la mujer que tenía el flujo de sangre, Él estuvo consciente de que la virtud había salido de Él porque la mujer había ido a Él y Lo había tocado para su ayuda personal. La conciencia de Jesús de vida y amor llegaba hasta Su manto; y Él estaba consciente hasta cuando Le tocaban Sus vestiduras. Después Él se sobrepuso de ese estado en particular en el cual sintió que la virtud abandonaba Su cuerpo para unirse al cuerpo de otra persona; y se estableció en el plano espiritual donde Su conciencia de vida y sustancia es una con la conciencia de toda la raza y donde todos podemos estar en contacto con Él y recibir la ayuda espiritual sin agotarlo. Él aprendió a apropiar más y Se abstuvo de establecer límites. El ser humano cree en limitaciones y fija el fluir de vida. Nos sobreponemos a estas limitaciones poco a poco. Al aprender a utilizar estas cualidades y poderes de maneras divinas y ordenadas, estamos listos para derribar los muros de separación que una vez nos sirvieron de protección.

A medida que aprendes a ver la plenitud de la vida, el amor, el poder y la sustancia de Dios en los demás, sabrás que no necesitas derramar los tuyos. Tendrás el conocimiento y la luz para llamar su atención a lo que tienen y motivarlos a que lo utilicen.

Preguntas "¿Qué es lo que me pasa?" Mi bien amado, no estamos buscando lo "malo"; con nuestro ojo espiritual de fe que reconoce solamente la imagen divina y la semejanza, te vemos como el Padre te creó en el principio —íntegro físicamente, iluminado, lleno de fe, perfecto. Al verte desde el punto de vista de Dios te ayudamos a manifestar tu divinidad innata.

Quita tus ojos de las apariencias como las ve la visión humana y limitada. Sé diligente en aferrarte a tu perfección crística innata bajo cualquier circunstancia.

Tratar de utilizar tu poder personal para sanar a otros es una limitación. Mantén constantemente en tu mente la verdad de que "Las palabras que yo os hablo, no las hablo por mi propia cuenta, sino que el Padre, que vive en mí, él hace las obras". Di junto con Jesús: *El Padre, que vive en mí, él hace las obras.*

Es necesario para el que sana que se establezca en la conciencia de que la perfección es la única realidad; hay una sola Presencia y un solo Poder en el universo, Dios, el bien omnipotente.

Niega la creencia, la apariencia de enfermedad (o de discordia de cualquier tipo) y date cuenta de que no es *nada*. Piensa que ella se disuelve en la nada, y con tu ojo de fe, ve la perfección crística establecida en el lugar que necesita manifestar la realidad del bien.

Conserva tu fuerza vital y tu fuerza de pensamiento. Entonces todo tu ser se fortalecerá y te tornarás demasiado positivo para asumir cualquier creencia negativa. Tus pensamientos de Verdad tienden a hacerte positivo.

Cuando pronuncias la palabra para ayudar a los demás, ten presente que: "No con ejército ni con fuerza, sino con mi espíritu, ha dicho Jehová de los ejércitos" (Zac. 4:6). La palabra aviva el Espíritu en tus pacientes a la acción y el Espíritu en ellos hace Sus obras. Dios en ti los asiste y manifiesta la divinidad que necesitan expresar.

Sabes, es posible ir más allá de lo que el alma y el cuerpo pueden soportar si la sabiduría y el amor no son las motivaciones. Uno puede inclinarse demasiado hacia las actividades intelectuales —sacando y conservando mucha de la energía de la sangre y de los nervios en la parte superior del cuerpo, causando congestión y agotamiento. Uno puede dedicarse tan de lleno a estas cosas, buenas en sí mismas, que requieren atención completa y esfuerzo nervioso que los ratos de juego necesarios para el cuerpo (no las actividades sociales usuales, que realmente no le permiten al cuerpo descansar y renovarse mientras la mente está ocupada extendiéndose en las cosas puramente naturales de la vida) se descuidan. Así que tratamos de motivar a nuestros seguidores a que traten de tener vidas equilibradas, ser justos con el cuerpo, sin importar el riguroso paso del alma que desea mantenerse al nivel de las cosas que considera vitales.

Uno puede meterse tan de lleno en el llamado trabajo espiritual que llega a perder la salud. Para beneficiar a la humanidad al máximo cada uno de nosotros debe vigilar que seamos justos para con nosotros mismos y que vivamos una vida que aumente nuestro poder, fortaleza y salud.

"¿De qué le aprovechará al hombre ganar todo el mundo, si pierde su alma?" (Mr. 8:36). Debemos ganarnos a muchas personas y traerlas a nuestras convicciones espirituales, sin embargo, si perdemos nuestra propia salud y como consecuencia nuestra vida, nuestro trabajo no será agradable a los ojos de Dios. Porque Dios es la mente y vida mismas en nosotros que busca unir y coordinar las facultades de la mente y expresarlas en la sustancia que llamamos la vida manifestada.

No hay límites a los llamados "milagros" que pueden llevar a cabo aquellos que se consagran completamente a la voluntad y al trabajo del Cristo.

"Porque donde están dos o tres congregados en mi nombre, allí estoy yo en medio de ellos" (Mt. 18:20).

Sabemos que a medida que continúes aferrándote con fuerza al Cristo viviente, tú y tus bendecidos compañeros de trabajo serán iluminados y prosperados en medida siempre creciente.

Las bendiciones que ya has recibido son solamente el comienzo de una efusión gloriosa y un crecimiento espiritual que continuará siempre.

"Mi Dios, pues, suplirá todo lo que os falta conforme a sus riquezas" (Fil. 4:19). Éste es el pagaré más grande jamás escrito, y lo puedes hacer efectivo a cualquier hora de cualquier día en el "banco" siempre abierto de Dios gracias al depósito de Su provisión.

Las energías maravillosas del Espíritu que te restauran a la perfección están allí esperándote para que las expreses en servicio beneficioso a Dios y a la humanidad.

Al ayudar a otros espiritualmente y de cualquier otra manera, no solo cumples la ley de dar y recibir, sino que también desarrollas tus propios recursos y capacidades de manera más completa. Al ayudar a otros bajo la guía del Espíritu de la Verdad, te ayudas a ti mismo. Así que no dejes que los conceptos limitados de los demás interfieran según prestas tu servicio amoroso. Tienes razón en mantener que puedes ayudar a otros a demostrar "más" de lo que tú has demostrado, porque no es con ejército ni con fuerza, sino con el espíritu de Jehová que se logran todas las cosas. "El Padre, que vive en mí, él hace las obras." Dios es el único Ayudante en el universo, y todo el bien que disfrutamos se manifiesta gracias a Su poder.

Pero, bien amado, me inclino a sentir que todos debemos llegar al lugar en que podemos hacer todo lo que Jesús hizo cuando vio que se le estaban haciendo tantas peticiones de ayuda que no podía darse completamente lo suficiente para lo que el Padre lo estaba dirigiendo a que hiciera. Él le pidió al Espíritu que le mostrara hombres que tuvieran las cualidades que pudieran desarrollarse para hacerlos sanadores, maestros y líderes de éxito. Entonces, si había algo en la vida o en la actitud del futuro trabajador que indicara que estaba listo o dispuesto para cambiar su ocupación o emprender el entrenamiento espiritual, Jesús se le acercaba, le hablaba de Su convicción y le pedía que lo siguiera. Parecía no tener mucha dificultad en lograr que un grupo de hombres y mujeres dejaran lo que estaban haciendo para abrazar con avidez, devoción y diligencia las cosas que Él consideraba necesarias para tener éxito en el servicio espiritual.

Estás "indeciblemente ocupado" haciendo las cosas que vienen a tu atención, y realmente no tienes tiempo para las cosas que te harían un líder más grande y poderoso. Hay otros en tu ciudad que no tienen suficiente que hacer para incitar su propio desarrollo. Sé que has tratado de conseguir ayudantes para tu centro, y sin duda te has dirigido a todos los que parecían reunir los requisitos.

Pero debe haber personas a quienes les encantaría ayudar y ser bendecidas en tal trabajo. Unámonos en oración para tu discernimiento, discriminación y autoridad para buscar y seleccionar aquellos en los que alguna cualidad espiritual es dominante y está lista para entrenamiento práctico.

Hablas de la comodidad y del alimento para el alma que disfrutaste durante tu estadía conmigo. Eso es espléndidamente temporal. Pero, querido, si estuvieras conmigo a diario, en cualquier momento podría hacer algo que te ofendería tanto como algunas de las cosas que otros han hecho y que te han ofendido. Las personalidades, como tales, no tienen la capacidad de satisfacerse siempre mutuamente. Y las personas que todavía dependen de las expresiones externas de amor y consideración están propensas a que las defrauden o desilusionen en cualquier momento. Porque verdaderamente no hay gozo, luz, sustancia y poder verdaderos en las cosas de los sentidos, o siempre en las relaciones de aquellos que tratan de dejar que las ideas crísticas los motiven en su expresión individual. Nuestra fuente verdadera de ayuda en cada necesidad es el Espíritu Santo interno; y a medida que nos mantenemos equilibrados en el Espíritu, encontramos maneras de alcanzar a otros en Espíritu, hacer que manifiesten lo mejor de ellos y comprenderlos de una manera nueva y maravillosa.

Si verdaderamente crees que el Espíritu de Jesucristo te inspira y te da poder de enseñar, sanar y prosperar, estoy segura que encontrarás mucho que hacer. Lo que no entiendo es que, suponiendo que estuvieras siendo motivado de manera divina, parece que sientes que debes ir a sentarte en esa iglesia, bajo la dirección de otros y aparentemente limitado por sus decisiones. Si hay cosas que el Padre quiere que hagas, ¿por qué no las has hecho —sin importar lo que los demás hagan? Si tu atención hubiese estado dirigida a Dios, seguramente hubieses estado tan ocupado con pensamientos y obras tan espléndidamente constructivas que no te habrías dado cuenta de lo que los demás estaban haciendo. Mas, estabas inmerso en la conciencia y la sensibilidad personales (quizás subconscientemente) y esto te hizo sentir perturbado con respecto a lo que creías que eran las actitudes de los demás hacia ti. Con tu mente congestionada con creencias y sentimientos conflictivos, no estabas en forma para poder manejar el trabajo que el Padre te hubiera dado.

Recuerda y ten ánimo, porque cuando comenzamos a despertarnos y a sentir la motivación de asistir a los demás, no existía tal cosa como este centro de Unity, ni siquiera teníamos amigos que veían las cosas tal como nosotros las veíamos. Entramos en contacto con unos cuantos y tomamos una clase juntos. Pero todo lo que teníamos para ramificarnos y comenzar a usar lo que teníamos en el camino, para satisfacer cualquier necesidad, se presentó por sí mismo. Lo que atrajo a los demás era lo que brillaba en nuestro rostro y los resultados que obtuvimos por medio de nuestras oraciones. Y no teníamos tiempo para pensar mucho en el éxito que estábamos teniendo, había tanto que hacer por la familia y tantas palabras de Verdad para escuchar que nos manteníamos muy ocupados. No estábamos pensando en la aprobación de los demás o cómo nos veían. Y no dependiendo de cualquier reunión o de la cooperación de otras personas, éramos perfectamente libres para hacer cualquier trabajo que el Padre nos diera. No pedimos trabajo; simplemente vino a nuestra casa. Alguien oía a través de alguien que teníamos algo bueno y venía.

Aléjate de todos estos pensamientos y estas apariencias descorazonadoras y pon tu interés y tu atención completa en Dios. ¿Te acuerdas de Samuel, verdad? Una noche se despertó y pensó que había oído a Elí el sacerdote, llamándolo. Corrió a donde estaba Elí, pero descubrió que no lo había llamado, y se tranquilizó de nuevo. Oyó la voz otra vez; y entonces Elí le explicó que podía ser Jehová, y le dijo que Le hablara a Jehová —y recibió la revelación del Espíritu. Lee el relato en el tercer capítulo de 1 Samuel. Notarás que aparece una mención especial de "ambos oídos" ¡a todo el que escuche las obras de Jehová! Consideremos tu problema a la luz de la experiencia de Samuel. Te has entregado al servicio en el templo. Has estado acatando los dictámenes de otros. Por fin hay evidencia de que el Señor está tratando de hablarte. No vas a recibir el mensaje dirigiéndote primero a uno y luego a otro de tus asociados, ni siquiera dirigiéndote a nosotros. Debes hablar con Jehová (tu propio Dios y Señor, en medio de ti). Y cuando sepas lo que Jehová te está diciendo, ¡no temas! Samuel escuchó cosas que le parecían desfavorables para con el sacerdote Elí y sus hijos, y temía decirlas. Mas Elí vino a Samuel para saber lo que había sido profetizado. Elí era un sacerdote y supuestamente el que hacía cumplir la ley, pero el prejuicio y la ambición entraron en juego e interfirieron con su servicio. Pero aun en medio de esto estaba Samuel (que quiere decir "nombre de Dios"), llevando al alma a una comunión consciente con Dios para que la profecía espiritual pudiera conocerse y el camino a la salvación de una futura esclavitud pudiera aclararse.

Cuando hacemos lo mejor que podemos y continuamos buscando a Dios por nuestra luz, habilidad y oportunidades de expresión y servicio, la ley divina soluciona nuestros problemas y tenemos más gracia y gloria de lo que habíamos anticipado.

Los que están en contacto con el público se supone que sean equilibrados y tengan aplomo en su desarrollo espiritual, y es así, llenos del amor, el gozo, la salud y la conciencia de provisión que la irradian equitativamente a todos los que se les acercan —¡no sedientos de amabilidad, comprensión, amor y motivación! Aquellos que necesitan ayuda ellos mismos no deben estar en un trabajo donde continuamente están enfrentados con los problemas de los demás. Deberían hacer algo que hayan querido hacer y que les sirva para desarrollar sus propias facultades y poderes de tal manera que den prueba de que están listos para un campo más amplio de servicio. Mientras estés tan perturbado por lo que los demás hacen o dejan de hacer, apenas si estás morando en la conciencia crística, la cual debes lograr para el ministerio espiritual.

No, no hay falta de cooperación entre los estudiantes mientras se mantengan en la conciencia de la Verdad. Pero las creencias adversas de las edades surgirán para que traten con ellas. Mientras nos asociamos más, propiciamos más las faltas que existen en nosotros y que deben traerse a la superficie, reconocerse y hacer que estén a la talla del patrón crístico. La ventaja de los grupos de estudiantes de la Verdad que están tan compenetrados es que forman el hábito de recordarse mutuamente la ley infalible y el Principio inmutable. Los estudiantes de la Verdad que son fieles a Cristo no son dados a suavizar las cosas, dar excusas por las creencias erróneas o al clamor de la parte humana del ser porque éste debe renunciar a sus prejuicios. En Cristo aprendemos a prepararnos para las sacudidas que causa a veces el proceso de desarraigarnos, y para invitar a las experiencias que nos muestran cuán fuerte es nuestra fe. Aprendemos a estar menos preocupados con lo que los demás están haciendo y más con nuestra actitud hacia sus actos. Estamos menos ansiosos de impresionar a la gente y más decididos a tener algo que llame su atención antes de que se los ofrezcamos. Estamos dispuestos a aquietar las ofertas intelectuales ansiosas y a menudo erradas, de que la palabra crística puede llenar nuestros corazones, avivar nuestros sentidos y establecer su orden en la tierra.

Bien amado, te estás estableciendo conscientemente en el equilibrio de la Mente Crística, donde constantemente estás receptivo a ideas, inspiración y vitalidad nuevas. El Espíritu siempre sale adelante a satisfacer las necesidades, cualesquiera que éstas puedan ser. Estás poniendo el ser personal a un lado para que la capacidad del Cristo YO SOY pueda demostrarse.

Te estás unificando tanto con la Mente universal que hablas de la conciencia de tu ser divino, el cual sabe intuitivamente qué decir para ayudar a cada uno de aquellos que vienen a ti en búsqueda de la Verdad para que los ayudes a leer la ley divina en la Mente toda sapiencia en la que todos vivimos, nos movemos y tenemos nuestro ser. Tú tienes la mente abierta, eres receptivo y obediente a la guía interna, y por eso eres un canal libre a través del cual el Padre llega a Sus hijos con Su mensaje de Verdad.

Todos nosotros "con el rostro descubierto y reflejando como en un espejo la gloria del Señor, somos transformados de gloria en gloria en su misma imagen" (2 Cor. 3:18). ¡Dios mío! ¡Qué radiantes y hermosos nos estamos tornando!

El éxito de los maestros, sanadores y líderes se basa en su capacidad de estar dispuestos a ser testigos de las ideas crísticas activas en la conciencia de aquellos a quienes el Padre atrae a ellos, y no en decir que lo pueden hacer o que lo han hecho personalmente. Todos nosotros más o menos cedemos a este hábito de presentar modos, opiniones y deseos personales en nuestro trabajo. Estamos orando y sabemos que todo lo que no da la talla con el método crístico de vivir y enseñar está desapareciendo de nosotros de manera que podamos hacer la voluntad perfecta del Padre.

A los casados

Es maravilloso tener hijos y estar realmente alerta al cuidarlos para que puedan crecer con salud, estabilidad y la seguridad de que son de Dios y que todo lo que necesitan viene a ellos y a través de ellos.

Los primeros cinco o seis años de la vida de los niños son muy importantes, y mantenerlos sanos, felices y ocupados con entretenimiento y tareas adecuadas durante ese período es muy importante. Verdaderamente están sentando las bases y preparando sus muchas facultades para el trabajo escolar y las otras actividades que vendrán.

Los adultos y sus niños pueden vivir sin una casa propia, sin buenos muebles, sin automóviles, sin muchos de los lujos que para muchos se han convertido en hábitos. Pero todo el mundo, grande o pequeño, necesita tiempo para el reposo y para comidas bien planeadas. También se necesita prestar atención a las cosas pequeñas (pequeñas en sí mismas, pero necesarias para la salud). El estudio diario del material de Unity ayuda a lograr la comprensión y la fe que hacen posibles estas cosas.

De alguna manera has llegado a creer que la repetición constante de palabras representando la Verdad es necesaria para vivir como deberías y establecer orden en tus asuntos.

En realidad, la repetición de palabras, no importa cuán verdaderas sean, no puede corregir las cosas si no están bien en la base. Por ejemplo, solías bendecir y alabar a tu esposo y declarar guía y prosperidad para él. Mas él no estaba cooperando, así que solo había una condición de corrientes contrarias y una ilusión de personalidad, sin la confirmación interna del Espíritu y sin la ayuda de todas las facultades y poderes que se logran avivar al vivir en la vida crística. Ahora, has estado pensando constantemente en tus hijos, y haciendo más de lo que ellos están haciendo para tratar de traerlos a la manera de vida de la Verdad. Ahora bien, lo más útil que puedes hacer es darles libertad. Deja de pensar en sus problemas; déjales a sus propios recursos y permite que sientan la necesidad de avivamiento espiritual y de la Verdad por sí mismos.

Si te ayuda el estudiar y orar constantemente, hazlo. Pero trata de comprender el valor completo de cada palabra, pronúnciala deliberadamente y con seguridad, y luego déjala descansar en el suelo de tu mente y en los elementos del ser, de los cuales se forman las bendiciones hasta traer resultados. No continúes repitiendo la palabra, suponiendo que todavía no ha echado raíces.

¡En realidad no necesitas molestarte con el lenguaje del niño! ¡O con la tendencia que llamas "terquedad"! ¡Él tiene derecho a ser "terco" si los demás lo regañan con demasiada persistencia! Él debe avivar sus propios poderes y se le debe permitir que los ponga a prueba sin que se le incite a ello la mayoría del tiempo. Demasiada atención, ayuda e irritación, aun silenciosa, por parte de los padres causa hábito de decir "no puedo". Supón que no hace nada tan bien como lo haces tú. Ésa no es razón para que lo corrijas o le muestres cómo hacerlo —déjale que lo haga a su modo y descubra más tarde y por sí solo que puede hacerlo mejor cada vez, hasta que perfeccione su expresión. Tendrá mucho más interés en experimentar cosas si le permites más libertad para hacerlas solo. Eliminar la "terquedad" arruinaría una cualidad maravillosa dada por Dios en las primeras etapas del desarrollo, y más tarde en su vida, tendría que trabajar muy duro durante años para recobrar el uso apropiado de ella. Así que no pongas mucho empeño en hacer que tu niño sea lo que sientes que debe ser. Deja que Dios en medio de él interprete por él y manifieste Su concepto de este hijo Suyo en particular. Dios sabe qué es lo mejor.

Crees que tu esposa y tú no han cumplido completamente con su deber de padres. Bueno, ¿quién de nosotros puede decir que lo ha hecho? En lo que respecta a este asunto, ¡todos somos niños, dando tumbos en nuestra inmadurez, cometiendo errores, aprendiendo a amar y a perdonar, dirigiéndonos al Padre-Madre de todos nosotros por luz, fortaleza y entrenamiento!

No nos condenemos ni tomemos a mal si a veces un ser querido siente un arrebato de ansiedad o no puede ver las cosas como nosotros las vemos. ¡Vamos a esforzarnos a mirar más allá del velo de la personalidad y ver al Cristo morador, y confiar en que este ser divino soporte la prueba triunfantemente!

Quiero añadir algo a lo que dijiste acerca del pasado y el futuro. El "pasado es lo que es", pero a menudo no lo comprendemos ni lo vemos como realmente es. El pasado se aleja de nosotros si no lo abrazamos, y la luz que derrama sobre él la perspectiva cambiante lo convierte en un fondo agradable para las actividades presentes. A medida que nos elevamos en conciencia el todo se nos revela como una imagen maravillosa del progreso del alma.

El futuro es lo que hacemos de él. Pero estamos aprendiendo que estamos desarrollando facultades y poderes dados por Dios, desarrollando una conciencia de filiación con nuestro Creador. Después de todo, el futuro está en manos de Dios y éste revelará en nuestras vidas el estado que Jesús llamó el reino de Dios o el reino de los cielos, ¡el orden del universo establecido en nuestras vidas diarias!

Recordemos que esos niños son hijos de Dios. Sabes esto en teoría, pero de hecho, ¿piensas en ellos hora tras hora como hijos del Padre, desarrollándose de Su vida, amor y sabiduría y asistidos por Su inagotable provisión? ¿Les estás enseñando que son hijos de Dios, que Él es el Padre y que deben acudir a Él y confiar sus pensamientos a su propia capacidad de interpretar el plan divino y hacer lo que les abre el camino a la provisión? ¿O están creciendo acudiendo a ti por lo que quieren y necesitan, dependiendo de ti para solucionar los problemas y manifestar lo bueno?

Sabes, ¡no toda su educación proviene de las escuelas! Tu privilegio y tu deber es darles la Verdad de su ser, y ver que entren en la conciencia de la Verdad y que hagan uso práctico de ella de todas las maneras posibles. De otro modo, los empujas hacia adelante intelectualmente sin el desarrollo espiritual apropiado y el uso diario de sus facultades al enfrentar lo que la vida les pone en su camino.

Sin duda estás demasiado ansioso acerca de los niños y su formación escolar. Debes recordar que su educación es de adentro hacia afuera. Las oportunidades externas se presentan como las requiere su desarrollo interno, y todo es asunto de la Mente-Dios desarrollándose y manifestando aquello que es lo mejor para todos los involucrados. Cuando te tornas personal y ansioso, empujas y causas tensión. Los niños pueden engullir lo que se les ofrece, pero ¿estarán asimilando con avidez y utilizando lo que se les presenta? Déjales que deseen oportunidades y ellos se abrirán el camino hacia su propio progreso.

A veces los esfuerzos de una esposa y madre van más allá del oficio del hogar, con la intención de traer provisión y establecer una vida social a un nivel más alto. Esto mismo suele reprimir o desalentar la iniciativa y la habilidad ejecutiva del esposo y padre. La mejor ayuda que pueden prestar las esposas es apoyar a sus esposos e inspirarlos con el sentimiento de que sus ideas son buenas, sus empresas válidas, los resultados satisfactorios, aunque sientan que ellas lo pueden hacer mejor. De vez en cuando encontramos que una esposa espléndida utilizará sus ideas sin darse cuenta, en el esfuerzo de inspirar e incitar al esposo a hacer lo que ella siente que él debería y podría hacer. Como el plan no provino de la propia inspiración y habilidad del esposo, el plan fracasa o no produce los resultados espléndidos esperados.

Necesitamos recordar que el trabajo y los negocios son, después de todo, sólo medios de desarrollar ciertas cualidades del alma y caminos por medio de los cuales servimos a otros a cambio de los servicios que nos han prestado. Lo que el alma realmente desea hacer es proseguir con su manera presente de progreso y éxito. Eliminar el sentimiento de que uno debe hacer lo que otros esperan de uno, o hacer por obligación lo que parece que promete mayores beneficios, es la ayuda más grande que alguien te pueda dar.

La verdadera vida de hogar, la interrelación de los miembros de la familia, el desarrollo de cada alma, significan mucho más que el tipo de casa en la que vives, la ropa que te pones, los vecinos con los que haces amistad, las cosas que compras o utilizas, representadas por facturas. Estoy segura que sabes esto, pero las sugerencias constantes por todos lados acerca de la conveniencia de las cosas tienden a sacarlo a uno de su centro —hasta que uno se hace el hábito diario de mantenerse cerca del Espíritu.

Querido amigo, pon toda tu atención en Dios y seriamente trata de ver como Dios ve. Ve a tus hijos como almas que crecen anhelosas. Velos como individuos, desarrollando sus propios poderes y facultades, haciendo individualmente lo que les parece lo mejor en ese momento. Deja que tu mente se eleve a las alturas, donde puedas ver la vida a una mayor escala —ve a estas almas libres de los convencionalismos, de las opiniones de los demás y de sus retos personales inmediatos. Comprende que son hijos de Dios, aprendiendo el camino de la Verdad en la vida mediante experiencias, anhelos e inspiración. Olvida el presente en lo eterno; regocíjate de que todos los hijos de Dios están conociendo el plan de vida de Dios. No te sientas solamente dispuesto sino feliz de pensar que tus hijos y todos los demás están en el reino de Dios —libres, libres para vivir la vida tal y cual la ven— libres para cambiar cuando creen que han cometido errores, o cuando el modo de vida actual parece que los deprime o les retarda su adelanto. Libres para defender sus más altos ideales, seguros de las bendiciones que otros les dan.

Creo que sé cómo debes pensar y sentir acerca de este asunto de tus hijos: porque estás viendo con los ojos de una madre abnegada y sintiendo con el corazón que conoce el sacrificio, lealtad y justa ambición. Pero realmente al manejar tal "problema" (esta palabra no describe de manera justa lo que significa) uno debe tener más de la habilidad positiva del alma masculina y menos del lado negativo o sentimental de la femenina. Tú, al igual que otras mujeres, *sientes* mucho más de lo que *piensas*. El sentimiento es humano y está basado en puntos de vista personales y experiencias previas. Así que no servirá como un poder para resolver el problema; añadirá un elemento de disturbio y tenderá a confundir. Mas si pones tu atención en *pensar* cómo proceder acerca de este asunto de la manera espléndida como un hombre lo considera, abrirás tu mente y corazón a las ideas crísticas. Entonces comenzarás a ser de verdadera ayuda, porque liberarás a estos niños de opiniones preconcebidas en cuanto a lo que es apropiado hacer.

Ante Sus ojos, tu niña es perfecta. Los patrones de peso, talla, etc., que la gente ha creado como guía no están de acuerdo de ninguna manera con la idea de lo que es bueno y perfecto para Dios. Así que no te preocupes ni te sientas ansiosa en lo más mínimo acerca del peso de tu niñita. Lo que verdaderamente es importante es la "estatura" de su "persona interior", su alma y conciencia. Para dar la talla con los patrones de Jesucristo ella debe mantener sus pensamientos buenos, puros, amorosos, gozosos, hermosos y basados en la Verdad.

Cuando ella haga esto, su cuerpo templo manifestará la perfección del Cristo morador.

Te estamos elevando en el gran amor y la gran luz que te hará sentir la paz de Jesucristo y descansar en la seguridad de que todo está bien. Tu hijo, por quien velaste con tanta ternura y por quien has expresado tu más alto concepto de amor maternal, y quien es ahora un hombre que aprovecha su libertad para desarrollar y expresar los poderes dados por Dios, según piensa que es la mejor manera, es también un hijo amado de Dios. Tu hijo siempre está en la presencia del Padre, y el Padre lo está ayudando a despertar del sueño de los sentidos y a juzgar sabiamente y discriminar entre las cosas valiosas del Espíritu y las cosas falsas e indeseables de la inmadurez.

Confíale este hijo querido al Padre, y no dudes de que está siendo elevado y liberado, y traído a una conciencia completamente nueva de la vida, el amor, el poder, la libertad y el éxito. Aunque él en este momento no sabe cómo ir a lo interno, redimir su cuerpo y ponerlo en orden, está aprendiendo las lecciones que necesita y no tendrá que sufrir por los mismos errores de nuevo.

Te ayudaremos a saber cómo hablar la Verdad a esta querida hijita, a liberarla de las limitaciones que han retrasado su progreso y a darle ánimo para que se exprese por medio de todos sus sentidos y poderes. Ella es hija de Dios y Él la ha creado a Su semejanza, perfecta en cada parte y libre para expresarse.

Piensa de tu hija como hija de Dios, y como una hija de Dios morando siempre en Su amor y rodeada de paz y abundancia. Ésta es la verdad: tu hija *es* hija de Dios. Y ella hereda del Padre-Madre divino la perfecta Mente crística.

Algo ha interferido con el desarrollo pleno, libre y armonioso de sus facultades. Pero esto es sólo una condición temporal. Nosotros, los que la amamos, pensamos en ella en la luz verdadera y reconocemos que la Mente crística está despertando, avivando y desarrollando todas sus facultades, y ella responderá. Su alma realmente no quiere ceder a la negación y al resentimiento. Pero los pensamientos erróneos se han estado formando, y ella dice y hace cosas que su falta de buen juicio la hace pensar que la ayudarán. La Verdad hablada a su alma con fe, poder y amor romperá los estados mentales viejos y ella comenzará a tomar las riendas por sí misma.

Asegúrale diariamente, tantas veces como sea necesario, que ella está perfectamente a salvo y que nadie va a perturbarla o a llevársela. Está en casa con quienes la aman y que saben que es hija de Dios. Habla con ella como si se estuviera expresando de una manera perfectamente normal. Lo que piensas de ella y la manera en la cual te diriges a ella determinarán sus reacciones.

El amor que es el cumplimiento de la ley no es el afecto personal ni aferrarse a la personalidad que es la expresión usual de un hombre y una mujer que conforman una pareja feliz. El amor que cumple la ley es el gran sentimiento de unidad que incita al alma a buscar la comprensión y la práctica de aquello que es para el bienestar no sólo del ser amado sino de toda la humanidad. Cuando una mujer reconoce lo divino en los hombres y los inspira a expresarlo, no tiene dificultad en vivir felizmente con un hombre a quien ha sido atraída. Cuando los hombres comprenden a las mujeres y adoran las cualidades divinas en ellas tienen el poder de lo alto para vivir en armonía perfecta.

Printed in the U.S.A.

B0260

CPSIA information can be obtained at www.ICGtesting.com
Printed in the USA
LVOW04s0518180814

399662LV00002B/5/P